Réal Petitclerc

Avec la collaboration de
Daniel Trudel et Danielle Blais

SIMULATION COMPTABLE

Boutique Image-inne inc.

CHENELIÈRE ÉDUCATION

Simulation comptable
Boutique Image-inne inc.

Réal Petitclerc
Avec la collaboration de Daniel Trudel et Danielle Blais

Éditeur : Sylvain Ménard
Éditrice adjointe : France Vandal
Coordination : Dominique Page
Révision linguistique : Christine Guilledroit
Correction d'épreuves : Caroline Bouffard
Conception graphique et infographie : Infographie Yvon St-Germain

Tableau de la couverture :
Prise de vue I
Œuvre de **Dimitri Loukas**

Né dans l'île de Chio, en Grèce, Dimitri Loukas a passé son enfance en France; il est maintenant citoyen canadien.

Peintre autodidacte intéressé par le postcubisme et la géométrisation du gestuel, Dimitri Loukas produit des œuvres contenant de multiples déformations spatiales et chromatiques des objets et des personnages à travers une organisation logique de lignes fluides.

On trouve ses toiles dans plusieurs musées et collections privées et publiques, tant en Amérique du Nord qu'en Europe. Elles sont présentées à la Galerie Michel-Ange de Montréal.

Catalogage avant publication
de Bibliothèque et Archives Canada

Petitclerc, Réal, 1959-

Simulation comptable : Boutique Image-inne inc.

ISBN 2-89105-909-3

1. Comptabilité – Simulation, Méthodes de. 2. Tenue des livres – Simulation, Méthodes de. 3. États financiers – Simulation, Méthodes de. 4. Exercice (Comptabilité). I. Titre.

HF5661.P47 2004 657'.01'1 C2004-941695-2

CHENELIÈRE ÉDUCATION

5800, rue Saint-Denis, bureau 900
Montréal (Québec) H2S 3L5 Canada
Téléphone : 514 273-1066
Télécopieur : 514 276-0324 ou 1 888 460-3834
info@cheneliere.ca

ISBN 2-89105-909-3

Dépôt légal : 1er trimestre 2005
Bibliothèque nationale du Québec
Bibliothèque nationale du Canada

Imprimé au Canada

4 5 6 7 8 IMM 16 15 14 13 12

Nous reconnaissons l'aide financière du gouvernement du Canada par l'entremise du Fonds du livre du Canada (FLC) pour nos activités d'édition.

Gouvernement du Québec – Programme de crédit d'impôt pour l'édition de livres – Gestion SODEC

REMERCIEMENTS

J'aimerais tout d'abord souligner la précieuse collaboration à ce projet de Lormay Tremblay, du Cégep François-Xavier-Garneau. Ses nombreux conseils et commentaires m'ont été d'une grande utilité dans la planification et l'organisation de cet ouvrage. Une mention spéciale est aussi adressée à Micheline Montreuil, pour son aide et sa collaboration.

Je tiens également à remercier mes collègues Gilles Berthiaume et Rachel St-Gelais, qui ont été les premiers à utiliser cette simulation. En outre, une pensée toute particulière va à mes deux collaborateurs : mon collègue et ami Daniel Trudel, que je remercie pour sa patience, son dévouement et son regard minutieux (il ne rate rien !) ; et mon épouse, Danielle, à qui je suis très reconnaissant de tous les petits services qu'elle m'a rendus et de son appui indéfectible.

Enfin, un gros merci à mes trois filles, Nancy, Karine et Julie, pour leur patience, leur aide et leur compréhension. Il n'y a pas si longtemps, elles étaient petites et mignonnes… Aujourd'hui, elles sont grandes et magnifiques !

AVANT-PROPOS

L'avènement de l'approche par compétences est une occasion idéale de reconsidérer nos méthodes pédagogiques. Largement inspirée de l'approche systémique, cette simulation est la suite logique de la simulation comptable *Studio Image-inne*. Privilégiant un apprentissage cyclique, la simulation comptable *Boutique Image-inne inc.* offre la possibilité de s'initier aux principes de base de la comptabilité d'une société par actions exerçant ses activités dans le commerce de détail. Elle propose un ensemble d'opérations formant un cycle comptable complet, simple et fidèle à la réalité. Les situations comptables deviendront de plus en plus complexes au fur et à mesure que vous progresserez dans vos apprentissages. Tout au long du processus, vous réinvestirez vos acquis en vous appropriant de nouvelles connaissances et en développant de nouvelles habiletés.

L'approche pédagogique privilégiée dans le présent ouvrage favorise l'atteinte d'un haut niveau d'autonomie professionnelle correspondant aux critères de performance exigés du nouveau technicien en administration. L'outil pédagogique présenté est également tout désigné pour adapter les stratégies d'apprentissage aux contextes de réalisation proposés par le ministère de l'Éducation du Québec. Cette simulation comptable peut être utilisée manuellement ou à l'aide d'un logiciel comptable. Adapté au contexte d'application, un guide d'enseignement comprenant un solutionnaire complet est fourni au professeur avec la simulation.

Si la simulation comptable *Studio Image-inne* mettait l'accent sur le démarrage d'une entreprise de services à propriétaire unique, la simulation *Boutique Image-inne inc.* insiste sur le processus de fermeture et de réouverture d'une société par actions exploitant un commerce de détail (entreprise commerciale). Afin de favoriser l'intégration des apprentissages, la simulation s'échelonne sur quatre périodes comptables mensuelles. Les deux premières périodes amènent les utilisateurs jusqu'à la fin d'un exercice financier, alors que les deux dernières les guident au moment de l'ouverture d'une nouvelle année financière. Toujours dans un souci d'intégration des apprentissages, les quatre périodes comptables suggèrent l'utilisation d'écritures de régularisations mensuelles. Le guide d'enseignement-solutionnaire et les fichiers informatisés dont est assorti cet ouvrage permettent une réalisation complète ou partielle de la simulation. En effet, il est possible de choisir le nombre de périodes à réaliser ainsi que le mois de début ou de fin des opérations.

Cette simulation propose une nouveauté très appréciable : des situations donnant à l'élève la possibilité d'évaluer régulièrement la progression et l'intégration de ses apprentissages (autoévaluation). Ces situations, présentées sous forme de questions, peuvent aussi servir au professeur comme instrument d'évaluation formative.

La simulation comptable *Boutique Image-inne inc.* est conçue pour s'adapter à l'approche pédagogique du professeur et aux objectifs d'apprentissage des élèves. Bien qu'elle adopte une démarche systémique, elle peut convenir à un mode d'enseignement séquentiel traditionnel à titre d'outil d'évaluation formative et sommative. Elle s'inspire de situations concrètes représentatives du contexte de travail d'un futur technicien en administration. Histoire de favoriser un climat d'apprentissage agréable, elle a été agrémentée d'une touche d'humour. Je vous souhaite autant de plaisir à utiliser cette simulation que j'en ai eu à l'élaborer !

Réal Petitclerc

TABLE DES MATIÈRES

Avertissement

Dans cet ouvrage, le masculin est utilisé comme représentant des deux sexes, sans discrimination à l'égard des hommes et des femmes, et dans le seul but d'alléger le texte.

CARACTÉRISTIQUES DE LA SIMULATION

L'approche pédagogique

Dans la présente simulation, vous êtes engagé pour faire la tenue de livres d'une société par actions qui exploite un commerce de détail (entreprise commerciale). L'exercice vous amènera à expérimenter un cycle comptable complet s'échelonnant sur plusieurs mois, ce qui favorisera l'intégration des apprentissages. À partir d'un scénario déjà élaboré, vous devrez comptabiliser les transactions des deux derniers mois d'un exercice financier. Après avoir terminé les procédures nécessaires à la fermeture d'une année comptable, vous serez amené à préparer les livres de comptes du prochain exercice financier et à procéder à l'inscription des transactions des deux premiers mois. Tout au long de la simulation, les situations comptables se spécialisent progressivement, afin de faciliter le transfert des acquis. Enfin, pour accroître votre autonomie professionnelle, vous devrez tenir compte de la documentation fournie (pièces justificatives) et prêter une attention particulière à la vérification et au contrôle des résultats comptables.

Les contextes de réalisation

Il vous appartient de choisir le contexte de réalisation parmi les diverses possibilités offertes. Cette simulation peut être réalisée manuellement, à l'aide de feuilles de travail préparées spécialement à cette fin, ou au moyen d'un logiciel comptable. Le guide d'enseignement (présenté sur cédérom) contient les feuilles de travail et les instructions adaptées à l'utilisation d'un système comptable manuel ainsi que tous les fichiers et les instructions nécessaires à l'utilisation des logiciels comptables suivants : *Acomba*® et *Simple Comptable*MD [1]. Ce dernier logiciel comptable peut être utilisé avec un système d'inventaire périodique ou permanent.

Un cheminement mixte est aussi envisageable, une partie pouvant être réalisée manuellement, et l'autre partie, à l'aide d'un logiciel comptable. Il est aussi possible de commencer la simulation avec un logiciel et de la terminer avec un autre.

Les options pédagogiques offertes

Il n'est pas obligatoire de réaliser la simulation du début à la fin. Celle-ci peut débuter et se terminer à la période comptable désirée. Le professeur n'a qu'à choisir le nombre de périodes comptables nécessaires à l'atteinte des objectifs pédagogiques s'appliquant à son cours. Le solutionnaire manuel et les fichiers informatisés permettent ce choix. De plus, la simulation *Boutique Image-inne inc.* a été conçue avec toute la souplesse nécessaire à ce découpage.

La simulation peut servir d'activité d'apprentissage ou d'outil d'évaluation. Sa flexibilité permet d'utiliser des périodes comptables à des fins d'évaluation formative, et d'autres périodes à des fins d'évaluation sommative, à la discrétion du professeur.

1. Vous pouvez réaliser la simulation à l'aide du logiciel *Fortune 1000*® et *Avantage*®. Pour ce faire, communiquez avec l'auteur à l'adresse électronique suivante : Real.Petitclerc@climoilou.qc.ca.

Les particularités de la simulation

- Reflète la réalité ;
- Peut être réalisée de façon manuelle ou informatisée ;
- Met en scène une société par actions (*compagnie*) ;
- Comprend des pièces justificatives et propose un guide de classement pour celles-ci ;
- Comprend des pièces justificatives en anglais, pour aider l'élève dans son apprentissage de cette langue ;
- Met l'accent sur la fermeture d'un exercice financier et la réouverture de l'exercice suivant ;
- Inclut la paie et couvre les procédures de fin de mois et d'année ;
- Contient des situations favorisant l'évaluation de l'intégration des apprentissages. Celles-ci permettent d'établir un rapport entre les concepts théoriques étudiés et la pratique ;
- Propose un scénario ficelé de façon à sensibiliser les élèves aux principes de contrôle interne d'une entreprise ;
- Fournit un guide de vérification comptable ;
- Permet l'utilisation de journaux auxiliaires ;
- Traite des points suivants :
  - Rapprochement bancaire
  - Fermeture de mois
  - Fermeture d'année financière
  - Ouverture d'année financière
  - Taxes de vente (TPS et TVQ)
  - Index général des renseignements financiers (IGRF)
  - Devises étrangères (initiation)
  - Placements (simples)
  - Rapports de fin d'année concernant la paie
- Porte sur une entreprise commerciale ;
- Comprend des procédures de fermeture et de validation comptables ;
- Utilise des termes de comptabilité d'usage courant ;
- Est conçue de façon modulaire (logiciels comptables) ;
- Favorise l'intégration des acquis.

Les champs d'application

Étant donné son haut degré d'adaptabilité, la simulation peut servir d'outil pédagogique dans les cours de base en comptabilité manuelle et en comptabilité informatisée. La simulation peut aussi être utilisée pour les cours d'intégration tels que les projets en comptabilité ou ceux de fin d'études.

La simulation a été conçue dans une perspective d'intégration des compétences. C'est pourquoi elle est indiquée comme outil de base pour la création d'activités pédagogiques liées aux autres compétences des programmes offerts en Techniques administratives. Ainsi, elle se prête facilement à la création de situations d'apprentissage des compétences en planification budgétaire, en analyse financière, en gestion des stocks, en commerce international, en implantation de systèmes d'information comptable, en comptabilité par activités ainsi qu'en contrôle interne et vérification.

Le guide d'enseignement-solutionnaire

Afin de faciliter l'expérimentation et l'évaluation des apprentissages, un guide d'enseignement est fourni aux professeurs. Il est présenté sur cédérom. Il contient les éléments suivants :

- Les plans comptables suggérés en vue de la réalisation manuelle ou informatisée des opérations ;
- Les feuilles de travail en vue de la réalisation manuelle des opérations ;
- Le solutionnaire manuel (inventaire périodique) ;
- Des explications comptables[2] complémentaires (correspondant aux interventions pédagogiques) ;
- Des guides d'utilisation adaptés au logiciel comptable choisi[3] (opérations exécutées sur ordinateur) ;
- Les réponses des points de contrôle formatifs proposés dans la simulation. La procédure à suivre pour y répondre est aussi incluse ;
- Les relevés bancaires ;
- La liste des écritures de régularisation du vérificateur externe au 31 décembre 2006 ;
- Des documents juridiques (bail, certificat d'actions, formulaire de constitution, etc.) ;
- Des formulaires gouvernementaux.

Les étapes d'évaluation formative

Le symbole présenté ci-dessus, qui représente un mortier (toque portée par les diplômés universitaires lors de la collation des grades), signifie qu'une mise en situation permettant d'évaluer la progression et l'intégration des apprentissages des élèves est offerte. Cette mise en situation est facultative, mais elle n'en demeure pas moins importante en ce qu'elle reflète la progression des élèves. De plus, elle favorise le maintien de leur motivation.

- Régulièrement, à titre de comptable de l'entreprise, vous êtes appelé à répondre à une question qui vous est posée ou à fournir une information qui vous est demandée.
- Un guide spécialement conçu à cette fin est fourni dans le guide d'enseignement. Il contient non seulement les réponses aux questions, mais la méthode à suivre pour les résoudre. Évidemment, le guide est adapté au type de réalisation choisi (manuel ou informatisé). Il appartient au professeur de déterminer la façon dont il sera utilisé.
- Le guide, sous forme de capsules indépendantes d'une question à l'autre, peut être reproduit à des fins pédagogiques.

2. Avec droit de reproduction par le professeur pour les élèves.
3. *Acomba®* : inventaire périodique. *Simple Comptable*MD : inventaire permanent et inventaire périodique.

Deux jeux d'expérimentation pédagogiques sur *Microsoft® Excel*

Les jeux d'expérimentation pédagogiques sur *Microsoft® Excel* sont offerts sur le site Web de l'auteur. Vous pouvez y accéder par l'intermédiaire du site Web de l'Éditeur, à l'adresse suivante : www.cheneliere-education.ca, section Gaëtan Morin Éditeur.

Ces jeux sont construits de façon à permettre aux élèves de s'autoévaluer. Ils ne nécessitent aucune intervention de la part du professeur, si ce n'est de fournir les fichiers au moment opportun.

Jeu du plan comptable Ce jeu a pour objectif d'aider l'élève à évaluer son intégration des notions de base en comptabilité. Il permet d'associer un compte avec un état financier, avec une catégorie (actif, passif, avoir, produit, charge) et de déterminer s'il est normalement débiteur ou créditeur.

Ce jeu peut être utilisé à différentes étapes selon le degré et le rythme d'apprentissage des élèves. Des instructions sont fournies au début du jeu afin d'en faciliter l'utilisation.

Jeu des régularisations Ce jeu a pour objectif d'accompagner l'élève quand il doit procéder aux écritures de régularisation. Il lui permet de se familiariser avec cette opération en l'amenant à la décomposer en étapes logiques et à vérifier s'il a intégré les notions essentielles qui s'y rattachent, et en le guidant dans la recherche des informations pertinentes, tout en lui donnant la possibilité de valider ses réponses.

Ce jeu peut être utilisé pour les écritures de régularisation du mois de novembre et pour toutes les nouvelles régularisations des mois suivants. Des instructions et des commentaires interactifs apparaissent tout au long du parcours afin d'amener l'élève à intégrer le processus.

Les fichiers informatisés

Si cette simulation est réalisée à l'aide d'un logiciel comptable, les fichiers suivants seront fournis :

- Fichiers des données correspondant au scénario initial de la simulation, c'est-à-dire avant la toute première transaction ;
- Fichiers des données nécessaires après la dernière transaction de chacune des périodes comptables et avant la procédure de fermeture ;
- Fichiers des données nécessaires après la fermeture de chacune des périodes comptables et avant la première transaction de la période suivante ;
- Fichiers contenant des consignes ou des trucs (en format PDF — *Acrobat Reader®*). Il est permis de reproduire ces fichiers pour fournir des notes de cours aux élèves.

LÉGENDE DES SYMBOLES

Tout au long de la simulation, des symboles visuels sont utilisés pour vous guider dans certaines situations. À l'instar des panneaux routiers, ils vous informent sur les obstacles susceptibles de se dresser sur votre route.

SYMBOLE	SIGNIFICATION	EXPLICATION
	Intervention pédagogique	Explications particulières données en classe par le professeur
	Document reçu	Facture, commande d'achat, soumission ou contrat d'achat reçus d'un fournisseur ; documents comptables reçus de votre banque ou document comptable interne émis, remis au service de la comptabilité
	Sortie d'argent	Transaction entraînant une sortie de fonds (débours [*déboursés*] ou décaissement)
	Entrée d'argent	Transaction entraînant une entrée de fonds (recette ou encaissement)
	Dépôt à la banque	
	Renseignements importants sur le document	L'information doit être examinée attentivement
	Exemption de taxes	Le client en cause est exempté des taxes de vente (TPS et TVQ)
	Enveloppe	Facture émise
	Note de crédit	Note de crédit à émettre
	Mortier	Étape d'évaluation ou d'autoévaluation
	Personnages	Paie des employés
	Main en train d'écrire	Écritures de régularisation à effectuer

TERMINOLOGIE COMPTABLE D'UTILISATION COURANTE

À l'instar du bon usage de la langue, l'usage de la terminologie comptable recommandée par l'ICCA n'est pas toujours observé. En effet, le marché du travail adopte parfois des termes et des expressions techniques qui diffèrent de ceux qui sont officiellement reconnus tant par les corporations comptables que par les maisons d'enseignement.

Afin de faciliter le passage du statut d'élève à celui de technicien en comptabilité, cette simulation utilise la terminologie comptable recommandée tout en faisant appel à certains termes d'usage courant, mais qui correspondent bien souvent à l'ancien vocabulaire officiel, toujours utilisé en entreprise.

Ainsi, lorsque vous rencontrerez un terme entre parenthèses composé dans une police de caractères de type « *Bookman* », sachez qu'il s'agit d'un équivalent fréquemment utilisé de l'expression officiellement recommandée, qui est mentionnée juste avant.

COMPTABILISATION ET CLASSEMENT DES PIÈCES JUSTIFICATIVES

S'inspirant de situations de travail réelles, cette simulation, en plus du texte descriptif, utilise des pièces justificatives. La méthode de travail à adopter, pour être efficace et sécuritaire (c'est-à-dire pour qu'elle permette de s'assurer que toutes les informations comptables ont été traitées), doit être simple et rigoureuse.

Le matériel recommandé

Trois classeurs avec divisions alphabétiques : 

- Un premier classeur pour les documents des fournisseurs (factures, bons de commande, soumissions) ;
- Le deuxième pour le rangement des copies de vos factures clients ;
- Le troisième pour le classement des autres documents.

Chemises de classement (environ 20) :

Agrafeuse ou trombones : ou

La procédure recommandée

Lorsque le comptable d'une entreprise reçoit des documents comptables, il les classe selon la nature du traitement comptable dont ils seront l'objet. Dans le cas de la simulation, ce classement est déjà fait (factures fournisseurs, bordereaux de dépôt, factures clients, etc.).

Vous comptabilisez le document en fonction de sa nature et vous indiquez sur le document qu'il a été traité.

 Le premier classeur : documents fournisseurs

Dans le classeur réservé à vos fournisseurs, il est conseillé d'ouvrir un dossier par fournisseur et de classer les dossiers en ordre alphabétique. Il est possible de simplifier le système en créant des dossiers communs pour des fournisseurs de moindre importance. Ainsi, on peut créer un dossier « A divers » pour les fournisseurs occasionnels dont le nom débute par la lettre « A ». On procédera ainsi jusqu'à la lettre « Z ». Si l'on souhaite simplifier encore plus le système de classement, on regroupe deux ou trois lettres par dossier divers. Ainsi, le dossier « A-B-C divers » contiendra les documents des fournisseurs occasionnels dont le nom débute par la lettre « A », « B » ou « C ».

En outre, il est important d'ouvrir un dossier pour les pièces qui n'ont pas été l'objet d'un traitement final. C'est le cas d'une facture de fournisseur qui a été comptabilisée, mais pas encore payée. Ce dossier sera nommé « Classement temporaire » et son contenu peut être classé chronologiquement selon la date de traitement à venir (méthode permettant un meilleur contrôle des échéanciers de travail), ou selon l'ordre alphabétique (méthode permettant de retrouver un document plus facilement).

La soumission Lorsque vous recevez une soumission d'un fournisseur, vous devez la ranger parmi les documents classés de façon temporaire. Vous pouvez la classer par ordre chronologique, selon la date d'expiration de la soumission, ou par ordre alphabétique si vous avez opté pour cette manière de faire pour votre classement temporaire. Si la soumission n'est pas retenue par les dirigeants de l'entreprise, elle peut être classée de façon définitive dans le dossier du fournisseur pour une consultation future. S'il est certain qu'on n'aura pas à s'y référer, elle peut être détruite.

Le bon de commande Lorsque, après avoir passé une commande auprès d'un fournisseur, vous recevez de ce dernier un bon de commande en bonne et due forme, vous devez le ranger parmi vos documents des fournisseurs. Étant donné que son traitement n'est pas définitif, le bon de commande doit aussi être rangé dans le classeur temporaire.

Si le bon de commande se rapporte à une soumission que vous avez déjà en main, joignez les deux à l'aide d'une agrafe ou d'un trombone et classez-les selon la date de livraison du bon de commande (ou par ordre alphabétique). Dans ce cas, prenez soin de vérifier la concordance des conditions inscrites sur la soumission et le bon de commande (prix, conditions de paiement, transport, etc.).

La facture d'un fournisseur Lorsque vous recevez une facture d'un fournisseur, vous devez immédiatement vérifier si vous avez un bon de commande ou une soumission liée à cette facture. Dans l'affirmative, vous devez joindre les documents après avoir vérifié la concordance des renseignements qu'ils contiennent. Par la suite, la facture est comptabilisée, puis classée dans le classeur temporaire.

Une fois que vous avez enregistré la facture dans votre système comptable, vous devez indiquer qu'elle a été traitée. La meilleure façon de faire consiste à la parapher et à y inscrire la date où vous l'avez traitée, accompagnée d'une référence (la page du journal dans laquelle la transaction a été inscrite ou le numéro de transaction séquentiel, le numéro du fournisseur ou du client, le module d'inscription, etc.). Afin de vous faciliter la tâche, nous avons estampillé les factures pour vous. Vous n'avez plus qu'à remplir les espaces après les différentes étapes de traitement.

Enfin, lorsque la facture aura été payée au fournisseur, vous y joindrez une copie du chèque et la classerez de façon définitive dans le dossier permanent du fournisseur. À défaut de joindre une copie du chèque à la facture payée, vous pouvez inscrire le numéro et la date du chèque qui a servi au règlement de la facture. Ici encore, il convient d'inscrire les initiales de la personne qui a payé la facture.

Le deuxième classeur : factures clients

Dans le cas du classeur réservé à vos clients, deux méthodes peuvent être utilisées :

1. En prenant exemple sur le système des comptes fournisseurs, vous pouvez ouvrir un dossier par client et le classer par ordre alphabétique. Pour simplifier, vous pouvez créer des dossiers communs à l'intention des clients de moindre importance. Ainsi, vous pouvez créer un dossier « A divers » pour les clients occasionnels dont le nom débute par la lettre « A ». Vous procédez ainsi jusqu'à la lettre « Z ». Si vous voulez simplifier le processus encore plus, regroupez deux ou trois lettres par dossier divers. Ainsi, le dossier « A-B-C divers » contiendra les documents des clients occasionnels dont le nom débute par le lettre « A », « B » ou « C ».

2. Dans certaines entreprises, on classe les factures par ordre numérique. Si vous optez pour cette méthode, vous ferez bien de substituer au classeur alphabétique un classeur sans division muni d'un système de retenue permettant l'insertion de nouveaux documents. Un cahier à anneaux fera parfaitement l'affaire.

Le choix d'utiliser un système de classement donnant priorité au dossier client rangé par ordre numérique dépendra principalement des besoins d'information des gestionnaires de l'entreprise. Si l'on doit se référer régulièrement aux factures antérieures, il sera alors préférable d'utiliser un classement donnant priorité au dossier client rangé par ordre alphabétique. Par contre, si les informations contenues dans la fiche client du système comptable sont suffisantes, l'ordre numérique, beaucoup plus simple, conviendra amplement. Les fiches clients des logiciels comptables couramment utilisés permettent régulièrement cette option.

Notons, enfin, que si les factures ont été émises à l'aide d'un logiciel comptable, vous n'avez qu'à les classer après y avoir apposé vos initiales. Toutefois, s'il s'agit d'une facture émise manuellement, outre que vous y indiquerez la date du traitement comptable et la référence (numéro de transaction), vous y apposerez vos initiales avant de la classer.

Le troisième classeur : autres pièces et documents

Les bordereaux de dépôt Inscrivez-y vos initiales ainsi que la date de traitement. Nous vous recommandons de numéroter vos dépôts et d'inscrire les numéros correspondants sur vos copies de bordereau. Classez les bordereaux par ordre numérique dans une chemise.

Les relevés bancaires Ils sont attachés au rapport de rapprochement (*conciliation*) et classés chronologiquement dans un dossier permanent réservé à cette fin.

Les autres documents bancaires Les notes de débit et les notes de crédit sont classées par ordre chronologique dans un dossier permanent. Vous devez y inscrire vos initiales ainsi que la date du traitement comptable. Il est utile de reproduire certaines pièces de manière à pouvoir les classer dans plus d'un dossier. C'est le cas lorsque le chèque sans provision d'un client vous est retourné ; il est alors commode de classer la copie d'une telle note de débit dans le dossier du client fautif.

Les rapports gouvernementaux (rapport de taxes de vente, retenues à la source, etc.) Après la production du rapport et son traitement comptable, inscrivez-y vos références de contrôle interne (initiales, date et référence comptable) et classez-le par ordre chronologique dans un dossier permanent réservé à cette fin. Au besoin, émettez un chèque et joignez-en une copie au document traité.

Les chèques émis à Annie et à Denis Magellan Deux dossiers permanents devraient être respectivement ouverts au nom d'Annie et de Denis Magellan. Tous les chèques émis à l'un ou l'autre des actionnaires devraient y être rangés, joints aux pièces justificatives s'y rattachant. Ayez soin d'y inscrire vos références de contrôle interne (initiales, date et référence comptable).

Les chèques de paie Vous devez créer un dossier permanent par employé. Vous y classerez les chèques par ordre chronologique une fois que vous y aurez apposé vos initiales.

PRÉSENTATION DE L'ENTREPRISE *BOUTIQUE IMAGE-INNE INC.*

M. Denis Magellan est photographe professionnel. Depuis l'automne 2004, il est propriétaire d'un studio de photographie dont la raison sociale est ***Studio Image-inne***. Conscient du fait que le domaine de la photographie était en pleine évolution technologique et qu'il représentait un marché potentiellement intéressant, M. Magellan a procédé à une étude de marché, question de vérifier s'il n'y avait pas là une occasion pour l'entreprise de faire une intégration verticale.

L'été suivant, il s'associait avec sa sœur jumelle, Annie, pour fonder une société par actions afin d'exploiter un magasin de détail en matériel photographique. C'est ainsi que, depuis juillet 2005, la ***Boutique Image-inne inc.*** a pignon sur rue à Eastman, juste en face du studio de photographie de M. Magellan. L'adresse du commerce est le 44, 1re Avenue, Eastman, Québec, G2F 0T0. En tant que photographe, Denis a la responsabilité des opérations commerciales de l'entreprise, soit les achats de marchandises, la gestion des stocks et les ventes. Quant à Annie, elle peut mettre à profit son baccalauréat en administration puisqu'elle est responsable du marketing, des ressources humaines et de la comptabilité de l'entreprise. Histoire de favoriser un climat de confiance entre eux, Denis et Annie ont convenu d'assumer tous deux la gestion financière.

L'entreprise, qui est en croissance constante, est sur le point de terminer sa deuxième année d'exploitation, sa première année financière complète. En effet, bien que **l'exercice financier s'étale du 1er janvier au 31 décembre,** les activités commerciales de la boutique ont démarré le 1er juillet 2005.

Jusqu'à présent, la comptabilité de l'entreprise était assurée par une firme indépendante. Une fois par mois, un représentant de l'entreprise *Les services comptables Bureau inc.* passait à la boutique pour ramasser les documents pertinents à la tenue des livres du commerce. Des états financiers établis selon un mode de comptabilité de caisse étaient remis à Annie et à Denis deux semaines plus tard. Étant donné le volume des activités commerciales, cette façon de procéder n'assurait plus une information assez précise et ponctuelle pour garantir une saine gestion de l'entreprise.

Nos deux actionnaires ont donc décidé d'engager un(e) technicien(ne) en comptabilité (vous !) pour qu'il prenne en charge tout le système d'information comptable de l'entreprise. Pour ce faire, Annie a demandé au vérificateur externe de l'entreprise, Vincent Lecompte, CA, de transformer les résultats comptables actuels, établis selon un système de comptabilité de caisse, en comptabilité d'exercice. M. Lecompte a aussi reçu la consigne d'ouvrir les divers journaux, livres et auxiliaires comptables nécessaires à la réalisation de votre mandat. Il vous présente les résultats de son travail au 31 octobre 2006 :

BOUTIQUE IMAGE-INNE INC.
BALANCE DE VÉRIFICATION
au 31 octobre 2006
(Exercice financier du 1er janvier au 31 décembre 2006)

Comptes	Débit	Crédit
Caisse	400,00 $	
Petite caisse	100,00	
Banque d'Eastman *(note 1)*	11 664,70	
Comptes clients *(note 2)*	4 165,64	
Stocks de marchandises *(note 3)*	48 317,90	
Assurances payées d'avance *(note 4)*	1 793,75	
Taxes payées d'avance *(note 4)*	250,00	
CSST payée d'avance *(note 4)*	171,85	
Ameublement de bureau *(note 5)*	3 980,00	
Amortissement cumulé — Ameublement de bureau *(note 5)*		995,00 $
Ameublement de magasin *(note 5)*	19 448,99	
Amortissement cumulé — Ameublement de magasin *(note 5)*		4 862,00
Équipement de laboratoire *(note 5)*	34 211,35	
Amortissement cumulé — Équipement de laboratoire *(note 5)*		12 402,00
Équipement informatique *(note 5)*	7 440,00	
Amortissement cumulé — Équipement informatique *(note 5)*		2 697,00
Améliorations locatives *(note 5)*	22 542,00	
Amortissement cumulé — Améliorations locatives *(note 5)*		3 005,00
Frais de constitution *(note 6)*	1 800,00	
Amortissement cumulé — Frais de constitution *(note 6)*		240,00
Marge de crédit *(note 7)*		5 000,00
Comptes fournisseurs *(note 8)*		9 373,14
Taxes à la consommation à payer		1 212,12
TPS à payer		0,00
TPS à recevoir		0,00
TVQ à payer		0,00
TVQ à recevoir		0,00
Retenues et contributions fédérales à payer		348,53
Retenues et contributions provinciales à payer		389,44
Vacances à payer *(note 9)*		1 367,43
Revenus perçus d'avance *(note 10)*		430,00
Hypothèque mobilière *(note 11)*		32 412,00
Capital-actions ordinaires *(note 12)*		5 000,00
Bénéfices non répartis		11 236,00
Ventes — Appareils photo		123 678,45
Ventes — Lentilles		86 501,30
Ventes — Accessoires photographiques		38 664,42
Escomptes sur ventes	2 112,88	
Services de laboratoire		91 475,26
Revenus de transport		812,40
Achats — Appareils photo	61 613,01	
Achats — Lentilles	42 607,13	
Achats — Accessoires photographiques	21 163,86	
Escomptes sur achats		2 910,77
Transport sur achats	2 612,60	
Salaires — Commis et laboratoire *(note 13)*	55 679,10	
Avantages sociaux — Commis et laboratoire *(note 13)*	5 987,94	
Contributions volontaires (*bénéfices marginaux*) — Commis et laboratoire *(note 13)*	1 391,98	
Vacances — Commis et laboratoire	2 734,86	
CSST — Commis et laboratoire *(note 13)*	668,15	
Loyer *(note 14)*	14 700,00	
Taxes d'affaires et permis	1 785,00	
Télécommunications	2 419,20	
Entretien et réparation — Loyer	1 944,05	
Entretien et réparation — Équipements	2 254,29	
Assurances	3 497,50	
Fournitures de laboratoire utilisées	18 611,01	
Frais de livraison	663,35	
Publicité	7 117,85	
Frais de représentation	2 212,33	
Amortissement — Ameublement magasin	2 917,00	
Amortissement — Équipement de laboratoire	7 270,00	
Amortissement — Améliorations locatives	1 878,00	
Honoraires	3 700,00	
Frais de déplacement des administrateurs	1 513,76	
Dépenses générales de bureau	864,95	
Frais de banque	1 006,40	
Frais de perception cartes de crédit	570,84	
Intérêts sur financement à court terme	2 728,41	
Intérêts sur financement à long terme	2 172,63	
Amortissement — Ameublement de bureau	597,00	
Amortissement — Équipement informatique	1 581,00	
Amortissement — Frais de constitution	150,00	
	435 012,26 $	435 012,26 $

Notes explicatives

1. Banque d'Eastman

Voici le rapprochement bancaire de la ***Boutique Image-inne inc.*** au 31 octobre 2006 :

BOUTIQUE IMAGE-INNE INC.
RAPPROCHEMENT BANCAIRE
Au 31 octobre 2006

Solde selon le relevé bancaire		12 856,80 $ ct
Ajouter : dépôt en circulation		0
		12 856,80
Soustraire : chèques en circulation		
N° 641 29 octobre 2006	714,12 $	
N° 642 29 octobre 2006	420,98	
N° 644 30 octobre 2006	57,00	1 192,10
Solde réel		11 664,70 $ ct

2. Comptes clients

Nom du client, détails	Adresse, n° de téléphone	Conditions de paiement, prix	Si exempté, n° de TPS, n° de TVQ
N° de la facture	**Date de la facture**	**Montant**	**Total client**
Laprise Decam, Jean Photographe professionnel	1221, rue des Embarcations Sorel, Québec M1L 1L0 (450) 442-6644	1/10, net 30 jours Rabais 10 % du prix ordinaire	
10782	4 octobre 2006	2 638,51	**2 638,51**
Musée de la souveraineté Achat de reproductions	5050, boul. René-Lévesque Montréal, Québec N0N 0U1 (514) 976-4951	2/10, net 60 jours Rabais 10 % du prix ordinaire	18736 7482 GF 1227832325 GQ
10731	15 septembre 2006	638,00	
10806	6 octobre 2006	314,00	**952,00**
Payeur, Paul Particulier, vente exceptionnelle à crédit	1221, rue du Huissier Longueuil, Québec L0S 5O0 (514) 564-9500	Net 30 jours	
10480	4 août 2006	575,13	**575,13**
Comptes clients au 31 octobre 2006			**4 165,64 $**

Vous trouverez la liste des autres clients réguliers de l'entreprise à l'annexe 1.

3. Stocks de marchandises

Nº de produit	Description	Quantité	Prix coûtant	Prix de vente
Appareils photo			**$**	**$**
rf-nok-2s	Réflex 35 mm Nokin —2S	4	149,00	299,00
rf-nok-4x	Réflex 35 mm Nokin — 4X	3	242,00	499,00
au-nok-l	Automatique 35 mm Nokin — L	5	110,00	219,00
au-kad-p	Automatique 35 mm Kadok — P	7	98,00	199,00
nr-nok-ss	Numérique réflex Nokin — SS	12	495,00	999,00
nr-nok-pr	Numérique réflex Nokin — PR	8	835,00	1 699,00
na-nok-x2	Numérique automatique Nokin — X2	19	250,00	499,00
na-nok-x4	Numérique automatique Nokin — X4	16	295,00	599,00
na-nok-x6	Numérique automatique Nokin — X6	15	350,00	699,00
na-kad-n3	Numérique automatique Kadok — N3	12	195,00	399,00
na-kad-n2	Numérique automatique Kadok — N2	10	175,00	359,00
na-kad-n1	Numérique automatique Kadok — N1	14	145,00	299,00
Total des appareils photo			**36 018,00**	
Lentilles			**$**	**$**
o-nok-18	Objectif Nokin 18 mm	1	445,00	895,00
o-nok-35	Objectif Nokin 35 mm	2	135,00	285,00
o-nok-50	Objectif Nokin 50 mm	1	125,00	265,00
o-nok-135	Objectif Nokin 135 mm	2	185,00	375,00
o-nok-500	Objectif Nokin 500 mm	1	495,00	995,00
o-nok-1000	Objectif Nokin 1000 mm	1	1 025,00	1 995,00
o-tom-18	Objectif Tomran 18 mm	2	295,00	595,00
o-tom-35	Objectif Tomran 35 mm	5	90,00	185,00
o-tom-50	Objectif Tomran 50 mm	3	80,00	165,00
o-tom-135	Objectif Tomran 135 mm	5	120,00	235,00
o-tom-500	Objectif Tomran 500 mm	3	325,00	645,00
o-tom-1000	Objectif Tomran 1000 mm	2	645,00	1 295,00
z-nok-35-120	Zoom Nokin 35-120 mm	2	245,00	495,00
z-nok-80-200	Zoom Nokin 80-200 mm	3	295,00	595,00
z-tom-35-125	Zoom Tomran 35-125 mm	3	195,00	395,00
z-tom-80-200	Zoom Tomran 80-200 mm	4	225,00	445,00
d-nok-2x	Doubleur de lentille Nokin	2	125,00	245,00
d-tom-2x	Doubleur de lentille Tomran	2	75,00	145,00
b-tom-nok	Bague d'adaptation Tomran-Nokin	15	25,00	45,00
Total des lentilles			**10 510,00**	
Accessoires photographiques			**$**	**$**
f-vav-185	Flash Vavatir — modèle 185	4	46,00	95,00
f-vav-285	Flash Vavatir — modèle 285	3	96,00	195,00
f-vav-485	Flash Vavatir — modèle 485	2	146,00	295,00
t-vav-286	Trépied Vavatir — modèle 286	3	29,00	59,00
t-vav-486	Trépied Vavatir — modèle 486	2	99,00	199,00
m-vav-486	Pied Vavatir — modèle 486	2	54,00	109,00
f-kad-25	Film Kadok 25 ISO	32	2,45	4,95
f-kad-64	Film Kadok 64 ISO	28	1,95	3,95
f-kad-100	Film Kadok 100 ISO	49	1,45	2,95
f-kad-200	Film Kadok 200 ISO	45	1,45	2,95
f-kad-400	Film Kadok 400 ISO	40	1,95	3,95
dn-kad	Disque numérique Kadok	48	5,95	11,95
Total des accessoires photographiques			**1 789,90**	
GRAND TOTAL			**48 317,90 $**	

Note : *Le montant des stocks de marchandises sur la balance de vérification correspond au solde réajusté par Vincent Lecompte au 31 octobre. Voici le détail des stocks de marchandises au début de l'année, soit le 1er janvier 2006*[4] :

– Appareils photo :	35 618,00 $
– Lentilles :	10 210,00
– Accessoires photo :	1 689,90
– Total :	47 517,90 $

Ensembles promotionnels : *Afin de favoriser la vente de lentilles et d'accessoires photographiques, la boutique offre des ensembles (kits) de produits. Le client qui achète un ensemble (kit) bénéficie d'un rabais sur le prix ordinaire total des produits compris dans l'ensemble.*

Nº de produit	Description	Quantité	Prix de vente
Ensembles (*kits*)			**$**
kp-nok-pro	*Ensemble professionnel Nokin*		1 875,00
rf-nok-4x	Réflex 35 mm Nokin — 4X	1	
z-nok-35-120	Zoom Nokin 35-120 mm	1	
z-nok-80-200	Zoom Nokin 80-200 mm	1	
f-vav-485	Flash Vavatir — modèle 485	1	
t-vav-486	Trépied Vavatir — modèle 486	1	
ks-nok-spt	*Ensemble sportif Nokin*		1 895,00
o-nok-1000	Objectif Nokin 1 000 mm	1	
m-vav-486	Pied Vavatir — modèle 486	1	
ks-tom-spt	*Ensemble sportif Tomran*		1 265,00
o-tom-1000	Objectif Tomran 1 000 mm	1	
m-vav-486	Pied Vavatir — modèle 486	1	

4. Frais payés d'avance

Assurances : Depuis le 1er juin 2006, l'entreprise est assurée pour ses stocks de marchandises, les autres biens et la responsabilité civile[5]. La prime de 3 075 $ a été payée en septembre.

Taxes : Les taxes d'affaires s'élèvent à 1 500 $ pour l'année civile 2006. Elles ont été payées en entier en mars de l'année en cours.

CSST : Au 30 avril, l'entreprise a versé une somme de 840,00 $ à la Commission de la santé et de la sécurité du travail du Québec. Cette somme représente la cotisation annuelle de l'entreprise, établie sur une base salariale estimée de 70 000 $ pour l'année 2006, à un taux de cotisation de 1,2 %.

5. Immobilisations

Voici le détail des immobilisations acquises, avec les renseignements relatifs à l'amortissement à comptabiliser tous les mois. Notez que les amortissements sont arrondis au dollar près.

4. Si vous utilisez un système d'inventaire périodique, vous trouverez dans le guide d'enseignement l'explication de l'ajustement qui a dû être apporté aux soldes d'ouverture pour tenir compte des stocks de marchandises au 1er janvier 2006.
5. La facture du courtier d'assurances est fournie dans le guide d'enseignement et sur le site de *Boutique Image-inne inc.* de Gaëtan Morin Éditeur.

Description des immobilisations	$
Ameublement de bureau Bureaux, chaises, lampes, classeurs et étagères. Utilisés depuis le 1er juillet 2005 Amortissement : 20 % dégressif	3 980,00
Ameublement de magasin Comptoirs, étagères, présentoirs. Utilisés depuis le 1er juillet 2005 Amortissement : 20 % dégressif	19 448,99
Équipement de laboratoire Appareil Kadok Repro-P444, lentilles de reproduction, bassins, lampes inactiniques, séchoir, appareil cybachrome Fidju Cy-k4. Utilisés depuis le 1er juillet 2005 Amortissement : 30 % dégressif	34 211,35
Équipement informatique Ordinateur servant pour l'administration (point de vente, contrôle des inventaires et de la comptabilité), imprimante et numérisateur. Utilisés depuis le 1er juillet 2005 Amortissement : 30 % dégressif	7 440,00
Améliorations locatives Revêtement de sol et de murs, plafond suspendu, tringles à rideaux et comptoirs de présentation. Utilisés depuis le 1er juillet 2005 Amortissement : Linéaire, selon la durée du bail, soit 10 ans	22 542,00

6. Frais de constitution

Le certificat d'immatriculation, le certificat de constitution de même que la facture s'y rapportant sont fournis dans le guide d'enseignement et sur le site *Boutique Image-inne inc.* de Gaëtan Morin Éditeur. Les frais de constitution sont amortis linéairement sur une période de 10 ans.

7. Marge de crédit

La marge de crédit autorisée est de 40 000 $. Elle est garantie grâce aux comptes clients et aux stocks de marchandises. Le taux de financement correspond au taux préférentiel + 1,0 %. La marge de crédit est payable et remboursable par tranches de 5 000 $.

8. Comptes fournisseurs

Fournisseurs, détails	Adresse, nº de téléphone	Conditions de paiement, prix	Nº de TPS, nº de TVQ
Nº de la facture	**Date de la facture**	**Montant**	**Total client**
Kadok ltée Fournisseur d'appareils	3535, rue de l'Église Eastman (Québec) G2F 0T0 (819) 323-3535	2/10, net 30 jours « FDM » FAB point de départ	13535 5353 GF 1553312345 GQ
2006-79111	14 octobre 2006	2 231,49	
2006-79122	24 octobre 2006	674,39	**2 905,88**
Tomran Ltd. Fournisseur de lentilles	11442, Queen Street Vancouver, British Columbia, Canada, T0M 1S0 (276) 441-9865	2/10, net 30 jours « FDM » FAB point de départ	18736 7482 GF Pas de taxe provinciale
14734	8 octobre 2006	1 273,30	
14898	26 octobre 2006	700,85	**1 974,15**
▼	▼	▼	▼

Fournisseurs, détails	Adresse, nº de téléphone	Conditions de paiement, prix	Nº de TPS, nº de TVQ
Nº de la facture	**Date de la facture**	**Montant**	**Total client**
Nokin Canada ltée Fournisseur d'appareils et de lentilles	2117, 4e Avenue Gatineau (Québec) P0Z 1C1 (450) 298-0245	1/15, net 30 jours « FDM » FAB point de départ	14248 4376 GF 1994276982 GQ
237 mm 675	4 octobre 2006	3 347,23	**3 347,23**
Vavatir Canada Ltd. Fournisseur d'accessoires photographiques	8633, Holland Avenue Cornwall, Ontario N0T 1R4 (613) 882-0759	2/10, net 30 jours « FDM » FAB point de départ	18766 5649 GF Pas de taxe provinciale
6-75322	4 octobre 2006	904,33	**904,33**
Entretien ménager Lenet Service d'entretien ménager	500, 2e Avenue Eastman (Québec) G2F 0T0 (819) 323-9182	Net 30 jours	17151 7546 GF 1248876912 GQ
1822	29 octobre 2006	241,55	**241,55**
Comptes fournisseurs au 31 octobre 2006			**9 373,14 $**

Vous trouverez la liste des autres fournisseurs réguliers de l'entreprise à l'annexe 1.

9. Vacances à payer

La période de référence pour le calcul des vacances annuelles est du 1er juin au 31 mai. Les vacances dues au 31 mai 2006 ont toutes été payées durant l'été 2006. Seules les vacances accumulées depuis le 1er juin 2006 demeurent impayées.

Voici le détail des vacances à payer en date du 31 octobre 2006 :

Détails / Employés	Ranger, Germaine	Caméron, Yvan D.	Blackburn, Claire
Vacances à payer	761,54	283,82	322,07
Taux de vacances	6 %	4 %	4 %

10. Revenus perçus d'avance (acompte perçu d'un client)

La somme de 430,00 $ perçue d'un client figurant dans la balance de vérification correspond à une somme versée par l'École de pilotage Morand-Vollant à titre d'acompte sur une commande spéciale.

11. Hypothèque mobilière

Les actifs immobilisés achetés en juillet 2005 ont été en partie payés à l'aide d'un emprunt bancaire de 35 000 $ contracté auprès de la société de financement Desjardins. L'emprunt est remboursable sur 10 ans, à raison d'un paiement préautorisé mensuel (le premier jour de chaque mois) de 415,23 $, comprenant le remboursement du capital et les intérêts. Depuis le 1er août 2005, 15 versements mensuels ont été effectués sur cet emprunt. Vous trouverez les renseignements nécessaires au traitement des mensualités à venir dans le tableau d'amortissement de l'emprunt présenté à l'annexe 1.

12. Capital-actions

Actions ordinaires catégorie A — Participantes et votantes[6]

Autorisées, émises et payées 5 000 actions à 1,00 $ chacune

Annie Magellan : 2 500 actions
Denis Magellan : 2 500 actions

13. Salaires, avantages sociaux et contributions volontaires (*bénéfices marginaux*)

Étant donné qu'Annie est toujours au service du ministère du Revenu du Québec et que Denis agit à titre de photographe professionnel, les actionnaires ne peuvent pas assurer une présence constante à la boutique. Ils ont donc décidé de ne pas se verser de salaires pour l'instant.

Afin d'assurer le bon fonctionnement du commerce, ils ont engagé trois employés permanents :

Nom, NAS, occupation	Adresse, n° de téléphone	Date de naissance et d'embauche	Conditions d'emploi
Blackburn, Claire 000 000 000 Technicienne de laboratoire et conseillère aux ventes	400, boul. des Acides Eastman (Québec) G2F 0T0 (819) 323-2004	1971-01-13 2005-11-01	Salaire au taux horaire de 10,70 $, 35 heures par semaine Vacances de 4 % Participation au fonds de pension : 5 % du salaire brut Employeur : 2,5 %
Caméron, Yvan D. 000 000 000 Conseiller aux ventes	511, 4e Rue Eastman (Québec) G2F 0T0 (819) 323-5569	1972-02-19 2005-11-10	Salaire au taux horaire de 9,50 $, 35 heures par semaine Vacances de 4 % Participation au fonds de pension : 5 % du salaire brut Employeur : 2,5 %
Ranger, Germaine 000 000 000 Gérante	678, 8e Rue Eastman (Québec) G2F 0T0 (819) 323-3625	1965-10-05 2006-01-01	Salaire annuel de base de 30 000 $, plus prime (*bonus*) à la fin de l'année Vacances de 6 % Participation au fonds de pension : 5 % du salaire brut Employeur : 2,5 %

Voici un tableau récapitulatif du journal des salaires déclarés et payés en date du 31 octobre 2006 :

Détails / Employés	Ranger, Germaine	Caméron, Yvan D.	Blackburn, Claire
Salaire brut	25 384,60	14 191,00	16 103,50
Déductions			
RRQ	1 079,18	525,10	619,76
Assurance-emploi	736,15	411,54	467,00
Impôt provincial	4 568,78	1 879,44	2 254,49
Impôt fédéral	3 112,15	1 402,33	1 711,44
Fonds de pension (5 %)	1 269,23	709,55	805,18
Part de l'employeur[7] (taux)			
RRQ (1,00)	1 079,18	525,10	619,76
Assurance-emploi (1,4)	1 030,61	576,16	653,80
FSS (2,7 %)	685,38	383,16	434,79
Fonds de pension (2,5 %)	634,61	354,78	402,59
CSST (1,2 %)	304,62	170,29	193,24

6. Les certificats d'actions sont présentés dans le guide d'enseignement et sur le site *Boutique Image-inne inc.* de Gaëtan Morin Éditeur.
7. Les protections sociales (le RRQ, l'assurance-emploi et le FSS) sont comptabilisées sous le poste « Avantages sociaux », alors que le compte « Contributions volontaires (*bénéfices marginaux*) » est utilisé pour enregistrer la cotisation de l'employeur au fonds de pension.

Les employés sont rémunérés toutes les deux semaines et la prochaine paie couvrira la période du dimanche 22 octobre au samedi 4 novembre. Elle sera versée aux employés le jeudi 9 novembre. Afin d'assurer un meilleur suivi des salaires versés, une série de chèques a été prévue pour le paiement des salaires. Le prochain chèque à émettre est le numéro 1101.

14. Loyer

Les administrateurs de l'entreprise ont signé un bail[8] de 10 ans pour un local situé au 44, 1re Avenue, à Eastman. Le coût du loyer, y compris l'électricité, est de 1 470 $ par mois, plus la TPS et la TVQ.

Annie et Denis ont déjà remis au locateur de la boutique (*Les immeubles G. Labrie inc.*) huit chèques de 1 690,87 $ chacun, postdatés du 1er novembre (no 489) au 1er juin (no 496). Ces chèques ne sont pas enregistrés dans le nouveau système comptable de l'entreprise.

8. Le bail est fourni dans le guide d'enseignement et sur le site *Boutique Image-inne inc.* de Gaëtan Morin Éditeur.

VOTRE MANDAT

Votre mandat débute le 1er novembre 2006. Vous avez l'entière responsabilité du système d'information comptable de l'entreprise. À ce titre, vous devez procéder à l'enregistrement des transactions comptables de l'entreprise, soit les ventes, les achats, le mouvement des stocks (*inventaire*), les encaissements, les dépôts, les décaissements (*déboursés, débours*) et les paies (calcul et émission). Il est à noter que les transactions sont présentées toutes les semaines et regroupées selon leur nature.

Vous devrez aussi faire les régularisations comptables mensuelles, émettre les états financiers de l'entreprise et en valider les résultats. Enfin, vous aurez à fournir aux dirigeants de l'entreprise les renseignements nécessaires à sa bonne gestion.

PRÉCISIONS SUR LE CONTEXTE DE RÉALISATION

Les renseignements compris dans la balance de vérification présentée plus haut ainsi que les informations relatives aux notes (n°s 1 à 12) ont tous été inscrits par M. Lecompte dans le nouveau système comptable[9] de l'entreprise.

Si vous utilisez un logiciel comptable, nous vous suggérons d'en explorer les divers modules et menus afin de retrouver chacun de ces renseignements. Imprimez-vous une balance de vérification, un état des résultats pour les 10 premiers mois de l'année financière, un bilan en date du 31 octobre, une liste des clients et une liste des fournisseurs. Imprimez-vous aussi une liste des stocks de marchandises ainsi qu'une liste des cumulatifs à jour des salaires versés aux employés.

Si vous utilisez un système comptable manuel, nous vous recommandons de dresser un état des résultats pour les 10 premiers mois de l'année financière et un bilan en date du 31 octobre.

Enfin, avant de commencer la tenue de livres de la *Boutique Image-inne inc.*, vous ferez bien de vérifier la concordance du solde de chacun des auxiliaires avec les comptes du grand livre correspondant.

9. Les livres comptables manuels ou les fichiers informatiques du logiciel comptable utilisé.

RENSEIGNEMENTS IMPORTANTS

Avant de commencer l'enregistrement des transactions comptables, vous devez prendre connaissance des informations suivantes :

2. Numéro d'inscription de l'entreprise à la TPS : 12699 1890 RT0001

3. Numéro d'inscription de l'entreprise à la TVQ : 1005547193 TQ0001

Les taxes à la consommation (TPS et TVQ) sont payées ou réclamées mensuellement.

4. Numéro d'employeur fédéral : 12699 1890 RP0001

5. Numéro d'employeur provincial : 1005547193 RS0001

Les remises gouvernementales sont effectuées mensuellement.

6. **Les conditions de paiement sont** :

Pour les clients	**Pour les fournisseurs**
Comptant	Comptant
Net 30 jours	Net 30 jours
1 % 10 jours, net 30 jours	Net 10 jours « FDM »
2 % 10 jours, net 60 jours	2 % 10 jours, net 30 jours « FDM »
	1 % 15 jours, net 30 jours « FDM »

7. **Les modes de paiement acceptés sont :**

Carte de crédit ***Maîtresse***
Paiement direct
Argent comptant
Chèques
À recevoir

8. **Les modes d'expédition sont :**

Cueillette par le client
Livraison par PSU

9. **Les différents prix :**

Prix courant (*régulier*)	Vente au comptoir du magasin
Prix clients privilégiés	Escompte de 10 %

Les dépôts

En règle générale, il n'est pas conseillé de conserver dans la caisse les recettes de la journée. L'argent liquide attire les voleurs et les chèques doivent être déposés à la banque le plus rapidement possible afin d'éviter une opposition ou, pire encore, le défaut de provision. Pour ces raisons, les dirigeants d'un commerce de détail devraient avoir soin de faire régulièrement leurs dépôts. En fait, dans la plupart des cas, il est fortement recommandé de faire un dépôt quotidien.

Dans la présente simulation, les dépôts seront faits toutes les semaines, le samedi. Les dépôts contiendront les recettes perçues depuis le dimanche précédent. La raison de cette mesure est d'ordre pédagogique : l'idée est de minimiser le nombre de transactions de même nature. Les encaissements des comptes clients et les autres chèques seront déposés distinctement, en fonction de la date d'encaissement.

Les factures

Toujours dans le but de diminuer le nombre de transactions similaires, l'émission des factures suivra le modèle suivant :

Les ventes au comptant Une seule facture hebdomadaire résumera l'ensemble des ventes réglées au comptant. Dans la pratique, ces factures sont émises une à une au moment d'une vente.

Les ventes avec carte de débit Une seule facture hebdomadaire résumera l'ensemble des ventes réglées par carte de débit. Dans la pratique, ces factures sont aussi émises individuellement au moment de la vente. Les sommes découlant de ces ventes suivront le même modèle et seront déposées directement (*créditées*) dans le compte bancaire à la date même.

Les ventes avec carte de crédit Une seule facture hebdomadaire résumera l'ensemble des ventes réglées par carte de crédit. Dans la pratique, ces factures sont émises individuellement au moment de la vente. Les sommes découlant de ces ventes suivront le même modèle et seront déposées directement (*créditées*) dans le compte bancaire à la date même.

Les ventes à crédit Tout comme dans la pratique, ces factures seront émises une à une au moment de la vente.

Il y a deux façons de traiter ces factures dans la simulation : en considérant uniquement les comptes du grand livre ou en considérant les stocks de marchandises (*inventaire*).

- Comptes du grand livre : Les tableaux de ventes présentés dans la simulation vous permettent de comptabiliser les ventes directement dans les comptes du grand livre, sans tenir compte des produits vendus. Si vous désirez réaliser la simulation manuellement (inventaire périodique) ou bien avec un logiciel comptable sans tenir à jour les quantités en magasin pour chaque produit, les tableaux présentés de façon hebdomadaire dans la simulation sont suffisamment détaillés.
- Stocks de marchandises (*inventaires*) : Si vous réalisez la simulation avec l'intention de gérer les stocks de marchandises (inventaire périodique ou permanent), vous devez utiliser le tableau des ventes détaillé par produit, fourni dans

le guide d'enseignement. Ce tableau vous permet de gérer la facturation en tenant compte des produits ou des services vendus et vous offre donc la possibilité de gérer les stocks de marchandises tant sur le plan quantitatif que sur le plan pécuniaire. Cette façon de procéder est la plus fidèle à la pratique réelle. Elle permet aussi de se familiariser avec la gestion des rabais accordés aux clients et des différentes promotions.

Le prix de vente des services Le prix des services, tel qu'il est indiqué sur la liste détaillée des factures à émettre, tient compte du rabais préférentiel accordé à un client privilégié et des promotions.

Les chèques 

Voici la marche à suivre adoptée par les gestionnaires de l'entreprise :

Les chèques destinés aux fournisseurs (ou autres, à l'exception des chèques de paie) seront émis tous les vendredis. Afin de permettre aux signataires, Annie et Denis, de faire les vérifications nécessaires à la signature des chèques, vous devrez les émettre une semaine à l'avance. À titre d'exemple, tous les chèques qui devraient être émis jusqu'au samedi 11 novembre seront émis le vendredi précédent (3 novembre).

10 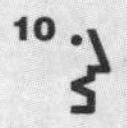 Le prochain chèque à émettre portera le numéro 666.

Parfois, Annie et Denis peuvent être appelés à émettre un chèque d'urgence. Pour cette raison, ils ont toujours sur eux une série de chèques déjà contresignés par l'autre. Denis a la séquence numérique commençant par le numéro 100 et se terminant par le numéro 149, alors qu'Annie a la séquence suivante, soit du numéro 150 au numéro 199.

Pour des raisons de contrôle interne, ils ne contresignent pas plus de trois chèques d'avance, et chacun des actionnaires a des comptes à rendre quant à l'utilisation de ces chèques.

Les charges (*dépenses*) engagées par les actionnaires 

Afin de diminuer le nombre de transactions comptables, Annie et Denis règlent personnellement certaines charges au nom de l'entreprise de façon régulière. Outre les repas et les frais de représentation, les fournitures de magasin et de bureau sont les plus fréquentes.

Avant la fin de chaque mois, Annie et Denis doivent présenter un rapport détaillant les charges qu'ils ont payées en y joignant les pièces justificatives. Une fois ce rapport contresigné par Denis ou Annie (selon le cas), vous pourrez les rembourser en émettant un chèque.

Lorsqu'ils doivent se déplacer (à des fins professionnelles) dans la région immédiate du commerce, Annie et Denis utilisent leur propre automobile. Ils notent leurs déplacements quotidiens effectués pour la boutique et indiquent le nombre de kilomètres parcourus. Ces déplacements seront notés dans leur compte de dépenses mensuel et leur seront remboursés à raison de 40 ¢ le kilomètre.

Rappelons que les allocations de remboursement de kilométrage sont acceptées à titre d'intrants admissibles au remboursement de la TPS et de la TVQ.

11 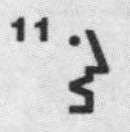 Soulignons que les gouvernements fédéral et provincial acceptent ce tarif jusqu'à concurrence de 5 000 kilomètres par année par personne. Dépassé ce nombre, le tarif baisse à 36 ¢ le kilomètre. Depuis le 1er janvier, Annie s'est fait rembourser 3 412 kilomètres, et Denis, 941 kilomètres.

OPÉRATIONS COMPTABLES

NOVEMBRE 2006

Dimanche	Lundi	Mardi	Mercredi	Jeudi	Vendredi	Samedi
			1	2	3	4
5	6	7	8	9	10	11
12	13	14	15	16	17	18
19	20	21	22	23	24	25
26	27	28	29	30		

Note : Nous vous rappelons que si vous désirez gérer les stocks de marchandises, l'émission des factures, les promotions ou les prix de vente, vous ferez bien d'utiliser le fichier intitulé « Tableaux détaillés des ventes », fourni dans le guide d'enseignement.

12. Voici le résultat des factures à émettre pour la semaine. Le prochain numéro de facture est 5001.

2

Client	Appareils photo	Lentilles	Accessoires photo	Ensembles	Services de laboratoire	Transport	TPS	TVQ	Total
Imbault, Vandal	1 529,10	535,50	0	1 705,50	0	0	263,92	302,55	4 336,57

13. *Il s'agit d'une vente d'ensemble. (Ne considérer que si l'on utilise le tableau détaillé des ventes.)*

4

Client	Appareils photo	Lentilles	Accessoires photo	Ensembles	Services de laboratoire	Transport	TPS	TVQ	Total
Comptant	0	0	163,85	0	231,00	0	27,65	31,69	454,19
Carte *Maîtresse*	1 496,00	520,00	195,00	0	641,00	0	199,64	228,86	3 280,50
Carte de débit	199,00	445,00	59,00	0	438,00	0	79,87	91,56	1 312,43

14. *Il s'agit d'une vente au comptant.*

15. *Services de laboratoire*

ENCAISSEMENT

Nom du payeur ou du client	*Référence*	*Montant*
2 Laprise Decam, Jean (escompte non accordé)	4 octobre	2 638,51 $

ACHATS

Note : *À l'approche du temps des fêtes, Annie a réévalué la publicité média dont est l'objet la boutique et la visibilité de cette dernière. Elle a proposé un plan d'action à Denis ; celui-ci l'a accepté d'emblée.*

Vous trouverez plusieurs pièces justificatives relativement à cette démarche au cours du mois.

Fournisseur	*Référence*	*Montant*
2 Kadok ltée	2006-81332	13 872,02 $

DÉCAISSEMENTS (*débours, déboursés*)

Vendredi **3** Émission de **trois** chèques (nos 666 à 668) à l'ordre de fournisseurs en paiement des factures qui arriveront à échéance entre le 3 et le 11 novembre.

AUTRES INFORMATIONS COMPTABLES

1 N'oubliez pas de comptabiliser le chèque du loyer. À cet effet, référez-vous à la note explicative no 14. Vous pouvez aussi enregistrer le remboursement mensuel de l'emprunt hypothécaire (note explicative no 11). Il n'y aura plus de rappel concernant ces transactions mensuelles ; ayez soin de ne pas les oublier.

Voici le résultat des factures à émettre pour la semaine.

Client	Appareils photo	Lentilles	Accessoires photo	Ensembles	Services de laboratoire	Transport	TPS	TVQ	Total
Laprise Decam, Jean	0	1 143,00	371,62	0	0	0	106,04	121,55	1 742,21
Plouffe et Cournoyer	899,10	837,00	197,02	0	0	0	135,34	155,13	2 223,59

Client	Appareils photo	Lentilles	Accessoires photo	Ensembles	Services de laboratoire	Transport	TPS	TVQ	Total
Comptant	299,00	0	119,60	0	197,00	0	43,10	49,40	708,10
Carte *Maîtresse*	1 556,00	820,00	34,45	0	564,00	0	208,21	238,69	3 421,35
Carte de débit	958,00	0	25,60	0	356,00	0	93,77	107,50	1 540,87

ENCAISSEMENTS

	Nom du payeur ou du client	*Référence*	*Montant*
10	Musée de la souveraineté	15 septembre	638,00 $
10	Imbault, Vandal	2 novembre (%)	4 293,20 $

Note : *% signifie que le client a bénéficié de son escompte selon les conditions négociées.*

DÉPÔT

5	Numéro D-87	3 092,70 $

ACHATS

	Fournisseur	*Référence*	*Montant*
8	Nokin Canada ltée	301 mm 612	23 612,33 $
8	Info concept inc.	Contrat mensuel	228,90 $
10	Tomran Ltd.	54901	8 774,00 $
11	Vavatir Canada Ltd.	K-911265	6 955,00 $

DÉCAISSEMENTS (*débours, déboursés*)

Vendredi 10 — Émission du chèque nº 669 à l'ordre d'un fournisseur en paiement des factures qui arriveront à échéance entre le 10 et le 18 novembre. Émission des chèques nºs 670 et 671 (datés du 15 novembre) à l'ordre de l'Agence du revenu du Canada et du ministère du Revenu du Québec en paiement des retenues et des cotisations (*contributions*) d'octobre.

9

PAIES

Quinzaine du 22 octobre au 4 novembre

Note : *Étant donné que les paies peuvent être préparées de plusieurs façons (à l'aide de logiciels comptables ou manuellement), le calcul de la paie nette peut varier légèrement d'une méthode à l'autre.* ***Pour éviter les différences et assurer une uniformité selon le contexte de réalisation choisi, une application particulière de la paie a été prévue. Elle est présentée dans le guide d'utilisation du logiciel comptable retenu. Il est important d'en prendre connaissance avant de préparer la première paie.***

Nom de l'employé	*Décaissements*	*Détail*
Blackburn, Claire	Chèque nº 1101	70 heures
Caméron, Yvan D.	Chèque nº 1102	70 heures
Ranger, Germaine	Chèque nº 1103	Salaire normal (*régulier*)

1 ***Concernant la paie émise le 9 novembre, indiquez combien il en coûte à l'entreprise pour chacun des éléments suivants.***

- ***Le fonds de pension***
- ***L'assurance-emploi***
- ***Le FSS***
- ***La CSST***
- ***L'impôt provincial***

Commande client

12

Client	Commande spéciale	Prix	TPS	TVQ	Total
Présentations visuelles Roussel inc.	Accessoire photographique : projecteur à diapositives Kadok modèle PP485	395,00	27,65	31,70	454,35
19	*Article non consigné dns l'inventaire*				
20	*Reçu un acompte de 100,00 $ par chèque*				

Voici le résultat des factures à émettre pour la semaine.

15

Client	Appareils photo	Lentilles	Accessoires photo	Ensembles	Services de laboratoire	Transport	TPS	TVQ	Total
Musée de la souveraineté	0	0	0	0	444,00	39,00	0	0	483,00

18

Client	Appareils photo	Lentilles	Accessoires photo	Ensembles	Services de laboratoire	Transport	TPS	TVQ	Total
Comptant	299,00	0	184,95	0	161,00	0	45,15	51,74	741,84
Carte *Maîtresse*	3 353,00	2 445,00	606,90	0	544,00	0	486,43	557,66	7 992,99
21 *Vente par carte de crédit ou par carte de débit*									
Carte de débit	1 756,00	265,00	364,00	0	318,00	0	189,21	216,90	3 109,11

ENCAISSEMENT

Nom du payeur ou du client	*Référence*	*Montant*
16 Laprise Decam, Jean	7 novembre (%)	1 724,79 $

DÉPÔT

12 Numéro D-88		5 639,30 $

NOVEMBRE
DÉCEMBRE
JANVIER
FÉVRIER

ACHATS

	Fournisseur	Référence	Montant
14	Contact Réseau-Pub inc.	2466	1 380,30 $
14	L'Hebdo d'Eastman	P-5133	2 507,55 $

2 ***Expliquez pourquoi il est plus avantageux d'acheter chez Kadok, Vavatir ou Tomran au début d'un mois plutôt qu'à la fin.***

Voici le résultat des factures à émettre pour la semaine.

21

Client	Appareils photo	Lentilles	Accessoires photo	Ensembles	Services de laboratoire	Transport	TPS	TVQ	Total
Laflamme et Brûlé	0	0	0	1 687,50	0	0	118,13	135,42	1 941,05

25

Client	Appareils photo	Lentilles	Accessoires photo	Ensembles	Services de laboratoire	Transport	TPS	TVQ	Total
Comptant	199,00	45,00	175,40	0	189,00	0	42,59	48,83	699,82
Carte *Maîtresse*	1 456,00	145,00	320,65	0	679,00	0	182,05	208,70	2 991,40
Carte de débit	658,00	45,00	249,30	0	351,00	0	91,24	104,59	1 499,13

ENCAISSEMENTS

	Nom du payeur ou du client	Référence	Montant
19	Plouffe et Cournoyer	8 novembre (%)	2 201,35 $

Escompte accordé malgré une journée de retard

3 ***Si M. Magellan vous demandait de lui préparer un rapport indiquant les escomptes que vous avez accordés durant le mois de novembre et le nom des bénéficiaires, quelle serait la façon la plus efficace et la plus sécuritaire de préparer ce rapport ?***

DÉPÔTS

		Montant
19	Numéro D-89	4 767,98 $
25	Numéro D-90	699,82 $

ACHATS

Fournisseur		*Référence*	*Montant*
[22] **24**	Enseignes lumineuses Lalumière	4266	2 001,44 $
[23] **25**	Promotion Bellevue inc.	6701	5 693,74 $

DÉCAISSEMENTS (*débours, déboursés*)

24 Vendredi — Émission du chèque n° 672 à l'ordre d'un fournisseur en paiement des factures qui arriveront à échéance entre le 24 novembre et le 2 décembre.

[24] Émission du chèque n° 673, daté du 30 novembre, à l'ordre du ministère du Revenu du Québec en paiement des taxes à la consommation du mois d'octobre. Préparez votre rapport de taxes, mais ne faites pas l'écriture de présentation des taxes ; M. Lecompte s'en est déjà occupé.

[25] Paiement des retenues et des cotisations (*contributions*) au fonds de pension de novembre. Émission du chèque n° 674 (aussi daté du 30 novembre) à l'ordre du gestionnaire du fonds *Les placements Berthiaume et St-Gelais inc.* **Attention :** il serait préférable de traiter la paie du 23 novembre avant de préparer le chèque.

23

PAIES

Quinzaine du 5 au 18 novembre

Nom de l'employé	*Décaissements*	*Détail*
Blackburn, Claire	Chèque n° 1104	74 heures
Caméron, Yvan D.	Chèque n° 1105	72 heures
Ranger, Germaine	Chèque n° 1106	Salaire normal (*régulier*)

Voici le résultat des factures à émettre pour la semaine.

30

Client	Appareils photo	Lentilles	Accessoires photo	Ensembles	Services de laboratoire	Transport	TPS	TVQ	Total
Présentations visuelles Roussel inc.	0	0	395,00	0	0	0	27,65	31,70	454,35
[26] *Commande spéciale du 12 novembre à facturer*									
Association des résidents du lac Memphrémagog	0	0	0	0	352,00	0	24,64	28,25	404,89
Comptant	0	0	149,30	0	111,00	0	18,23	20,89	299,42
Carte *Maîtresse*	8 103,00	2 060,00	886,80	0	498,00	0	808,34	926,70	13 282,84
Carte de débit	2 752,00	445,00	735,45	0	333,00	0	298,58	342,29	4 906,32

ACHATS

Fournisseur		Référence	Montant
28	Bill Canada	28 nov. au 27 déc.	333,58 $

Au cours du mois de novembre, quel produit a généré la plus grande marge bénéficiaire brute, et à combien celle-ci est-elle évaluée ?

AUTRES INFORMATIONS COMPTABLES

30 Denis contresigne le compte de dépenses de novembre d'Annie et émet le chèque nº 100 à son intention pour la rembourser de ses dépenses.

30 Bien que le mois soit terminé, il est fort probable que vous ayez à faire en décembre des transactions qui se rapportent au mois de novembre. Vous devez prévoir cette situation et, selon le contexte dans lequel vous réalisez la simulation, il y a une procédure particulière à suivre. Votre professeur saura vous guider dans cette démarche.

Les états financiers du mois ne pourront être présentés que lorsque vous aurez fait le rapprochement bancaire, que vous aurez effectué les écritures de régularisation et que vous aurez vérifié vos résultats comptables.

DÉCEMBRE 2006

Dimanche	Lundi	Mardi	Mercredi	Jeudi	Vendredi	Samedi
					1	2
3	4	5	6	7	8	9
10	11	12	13	14	15	16
17	18	19	20	21	22	23
24	25	26	27	28	29	30
31						

Voici le résultat des factures à émettre pour la semaine.

1

Client	Appareils photo	Lentilles	Accessoires photo	Ensembles	Services de laboratoire	Transport	TPS	TVQ	Total
Laprise Decam, Jean	0	783,00	0	0	0	0	54,82	62,83	900,65

NOVEMBRE DÉCEMBRE JANVIER FÉVRIER

 9

Client	Appareils photo	Lentilles	Accessoires photo	Ensembles	Services de laboratoire	Transport	TPS	TVQ	Total
Comptant	697,00	0	417,20	0	109,00	0	85,63	98,15	1406,98
Carte *Maîtresse*	11 435,00	3 380,00	2 316,25	0	522,00	22,00	1 237,28	1 418,46	20 330,99
Carte de débit	4 269,00	0	829,25	0	374,00	0	383,06	439,14	6 294,45

ENCAISSEMENTS

	Nom du payeur ou du client	*Référence*	*Montant*
2	Laflamme et Brûlé Escompte accordé malgré une journée de retard	21 novembre (%)	1 921,64 $
6	Musée de la souveraineté Le comptable du musée a déduit un escompte non autorisé. Vous encaissez le chèque, mais n'accordez pas l'escompte.	6 octobre et 15 novembre	781,06 $
7	Paul Payeur	4 août	575,13 $
8	Présentations visuelles Roussel inc.	30 novembre	349,81 $
9	Jean Laprise Decam	1er décembre	891,64 $

DÉPÔT

1	Numéro D-91	299,42 $

ACHATS

	Fournisseur	*Référence*	*Montant*
1	Kadok of America Ltd.	2006-4563210	145,00 $US
1	Entretien ménager Lenet	2146	460,10 $
1	Kadok ltée	2006-81837	11 968,35 $
5	Promotion Bellevue inc.	Crédit 6789	– 517,61 $
6	Nokin Canada ltée	302 mm 144	24 515,28 $
8	Tomran Ltd.	55644	11 342,00 $
9	Vavatir Canada Ltd.	K-911852	8 795,40 $

27

NOVEMBRE DÉCEMBRE JANVIER FÉVRIER

DÉCAISSEMENTS (*débours, déboursés*)

Vendredi 8 Émission de **six** chèques (n°s 675 à 680) à l'ordre de fournisseurs en paiement des factures qui arriveront à échéance entre le 8 et le 16 décembre. Étant donné le petit problème qu'a présenté la couleur des courroies promotionnelles, vous retardez le paiement de la facture de Promotion Bellevue inc.

Émission des chèques n°s 681 et 682 (datés du 15 décembre) à l'ordre de l'Agence du revenu du Canada et du ministère du Revenu du Québec en paiement des retenues et des cotisations (*contributions*) de novembre.

28 Toujours en date du 15 décembre, émission d'un chèque à l'ordre de l'École de pilotage Morand-Vollant inc. Le chèque n° 683, de 330,00 $, représente le remboursement de l'avance perçue sur la commande spéciale du 28 septembre, moins 100,00 $ retenus par la boutique à titre de dédommagement. Le client a annulé sa commande spéciale prétextant ne plus avoir besoin du produit commandé.

7

PAIES

Quinzaine du 19 novembre au 2 décembre

Nom de l'employé	*Décaissements*	*Détail*
Blackburn, Claire	Chèque n° 1107	70 heures
Caméron, Yvan D.	Chèque n° 1108	70 heures
Ranger, Germaine	Chèque n° 1109	Salaire normal (*régulier*)

AUTRES INFORMATIONS COMPTABLES

29 **9** Réception du relevé bancaire de novembre (demandez-le à votre professeur). Vous pouvez maintenant faire vos contrôles et vos régularisations mensuelles afin de produire vos états financiers au 30 novembre. Présentez un état des résultats pour le mois de novembre, un état des résultats pour l'exercice financier après 11 mois et le bilan au 30 novembre.

5

Une fois que vous connaissez les frais de perception qui sont facturés à la boutique, êtes-vous en mesure de calculer le taux exigé par la carte de crédit* Maîtresse *?

RÉGULARISATIONS MENSUELLES

30 Voici un rappel des principaux événements comptables à régulariser :

- Les stocks de marchandises à la fin du mois. Selon le contexte dans lequel vous réalisez la simulation, il est possible que la valeur des stocks estimée varie légèrement. Votre professeur saura vous guider dans l'évaluation des stocks et dans la méthode à suivre pour régulariser la situation ;
- Les assurances, les taxes et la CSST payées d'avance ;
- Les amortissements (l'enseigne, ayant été achetée à la fin de novembre, n'a pas à être amortie pour le mois de novembre) ;
- Les revenus perçus d'avance ;
- Les intérêts sur l'hypothèque (servez-vous du tableau d'amortissement de l'hypothèque mobilière présenté à l'annexe 1) ;
- Les salaires et les cotisations (*contributions*) que doit payer l'employeur ;

- Les fournitures de laboratoire et de bureau en main :
  - laboratoire : 1 950 $;
  - bureau : non significatif ;
- Certains documents reçus en novembre ayant une incidence sur les mois suivants :
  - *Info concept inc.* ;
  - *Contact Réseau-Pub inc.* ;
  - *L'Hebdo d'Eastman* ;
  - *Bill Canada* ;
- Certains documents reçus au début de décembre ayant une incidence sur les résultats de novembre :
  - *Kadok of America Ltd.* Considérez que le taux de change de l'argent canadien en argent américain est de 40 % ;
  - *Entretien ménager Lenet* ;
  - *Promotion Bellevue inc.* (note de crédit) ;
- Les courroies achetées chez *Promotion Bellevue inc.* n'ont pas encore été distribuées aux clients en date du 30 novembre. La distribution devrait se faire à partir de décembre.
- Enfin, il faut régulariser les ventes d'ensembles (*kits*) du mois. Actuellement, les ventes ont été attribuées à un compte du grand livre qui ne correspond pas aux postes du coût des marchandises vendues.

Note : *En règle générale, lorsqu'on doit procéder à la régularisation mensuelle des livres comptables d'une entreprise, il est préférable de suivre la même procédure que celle utilisée au moment d'une fin d'exercice financier. Le même principe s'applique pour une période comptable ; il est donc recommandé de faire les écritures de réouverture en date du premier jour du mois suivant.*

6

Au cours du mois de novembre, nous avons volontairement omis une transaction qui, normalement, aurait dû être faite. Cette transaction aurait eu des répercussions sur un poste de l'actif à court terme et un poste du passif à court terme. Pouvez-vous indiquer de quelle transaction il s'agit ? Rassurez-vous, la transaction se fera en décembre !

Voici le résultat des factures à émettre pour la semaine.

16

Client	Appareils photo	Lentilles	Accessoires photo	Ensembles	Services de laboratoire	Transport	TPS	TVQ	Total
Comptant	0	0	715,15	0	101,00	0	57,13	65,49	938,77
Carte *Maîtresse*	15 725,00	8 565,00	1 970,80	1 265,00	277,00	0	1 946,20	2 231,18	31 980,18
Carte de débit	7 381,00	1 340,00	1 370,30	0	198,00	0	720,25	825,72	11 835,27

DÉPÔT

9 Numéro D-92 5 926,26 $

DOCUMENT COMPTABLE

	Fournisseur	*Référence*	*Montant*
31 — 15	Banque d'Eastman	Avis de débit	583,13 $

AUTRES INFORMATIONS COMPTABLES

32 — **10** Annie émet un chèque (n° 150) de 10 000 $ à l'ordre de *Dollar Gagné*, courtier en placements. Cette somme est temporairement déposée dans un compte à intérêt quotidien jusqu'à ce qu'elle soit utilisée pour l'acquisition de placements divers. Vous recevrez le détail du compte et de ses transactions à la fin de chaque mois.

33 — **15** Vous recevez un avis de débit de la banque concernant le chèque de M. Paul Payeur. Vous découvrez que ce dernier a déclaré faillite et que vous ne devez pas vous attendre à recevoir un paiement de la part du syndic responsable de son dossier.

7

Vous envoyez à un client une facture s'élevant à 900 $, avant taxes, et indiquant les conditions de règlement suivantes : 2/10 net 30 jours « FDM ». Deux mois plus tard, ce client vous envoie un chèque équivalant au montant total de la facture, moins les 2 % d'escompte. Comme le délai imparti pour l'obtention de l'escompte est écoulé, vous avisez votre client qu'il n'a pas droit à la réduction offerte et qu'il vous doit toujours la somme correspondant aux 2 % d'escompte qu'il a soustraite de la somme totale. Après plusieurs semaines et de nombreuses démarches infructueuses, vous décidez d'annuler cette créance dans vos livres comptables.

Finalement, est-il plus avantageux d'accorder l'escompte pour annuler ce compte recevable ou d'émettre au client une note de crédit équivalant à la somme impayée ? Expliquez votre réponse.

Voici le résultat des factures à émettre pour la semaine.

17

Client	Appareils photo	Lentilles	Accessoires photo	Ensembles	Services de laboratoire	Transport	TPS	TVQ	Total
Laprise Decam, Jean	0	49,50	0	0	0	0	3,46	3,97	56,93

34 — *Retour de l'objectif 35 mm Tomran et d'une bague d'adaptation. (Ne considérer que si l'on utilise le tableau détaillé des ventes.)*

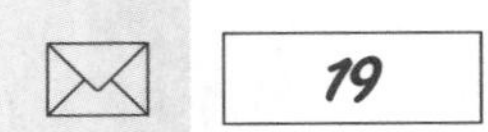

19

Client	Appareils photo	Lentilles	Accessoires photo	Ensembles	Services de laboratoire	Transport	TPS	TVQ	Total
Imbault, Vandal	629,10	1 251,00	0	0	0	0	131,62	150,88	2 162,60

 23

Client	Appareils photo	Lentilles	Accessoires photo	Ensembles	Services de laboratoire	Transport	TPS	TVQ	Total
Kadok ltée	0	0	0	0	211,00	0	14,77	16,93	242,70
35 *Il s'agit d'un nouveau client. Ses coordonnées sont indiquées dans l'auxiliaire des fournisseurs. Conditions de paiement : net 30 jours.*									
Comptant	798,00	455,00	962,00	0	64,00	0	159,53	182,90	2 621,43
Carte *Maîtresse*	15 445,00	4 685,00	3 105,10	0	187,00	0	1 639,55	1 879,62	26 941,27
Carte de débit	9 019,00	3 185,00	1 758,90	0	211,00	0	992,17	1 137,44	16 303,51

DÉPÔT

17	Numéro D-93	938,77 $

ACHATS

	Fournisseur	*Référence*	*Montant*
18	Club bureau inc.	4364	662,54 $
20	Lemonde & Ledoux	6477	54,30 $
22	Kadok ltée	2006-81969	1 149,10 $

36

8 ***La facture du 20 décembre de Lemonde & Ledoux fait référence à la facture du 1er décembre de Kadok of America Ltd. Expliquez pourquoi la valeur estimative servant au calcul des taxes est plus élevée dans le cas du gouvernement provincial que dans le cas du gouvernement fédéral.***

DÉCAISSEMENTS (*débours, déboursés*)

Vendredi 22 Émission de **trois** chèques (nos 684 à 686) à l'ordre de fournisseurs en paiement des factures qui arriveront à échéance entre le 22 et le 30 décembre. Le chèque émis à l'ordre de *Promotion Bellevue inc.* inclut l'escompte offert même si la date d'échéance est dépassée.

Établissement du rapport de TPS et de TVQ du mois de novembre au ministère du Revenu du Québec. Préparez votre rapport de taxes et faites l'écriture de présentation des taxes. Le rapport devrait indiquer une somme à recevoir du gouvernement fédéral et une somme à payer au gouvernement provincial. Au net, vous avez une somme à recevoir ; il n'y a donc pas de chèque à émettre.

Annulation du chèque no 687.

Paiement des retenues et des cotisations (*contributions*) au fonds de pension de décembre. Émission du chèque no 688 (daté du 31 décembre) à l'ordre du gestionnaire du fonds *Les placements Berthiaume et St-Gelais inc.*

Attention : il serait préférable de traiter la paie du 21 décembre avant de préparer le chèque.

Chèque n° 689 émis à *Votre nom — Petite caisse* pour renflouer la petite caisse. Le rapport a été vérifié et approuvé par Mme Ranger.

Émission du chèque n° 690 à l'ordre d'un fournisseur en paiement des factures qui arriveront à échéance entre le 22 décembre et le 6 janvier. **Attention :** pour faciliter le traitement comptable de fin d'année, le chèque est daté du 31 décembre.

21

PAIES

Quinzaine du 3 au 16 décembre

Nom de l'employé	*Décaissements*	*Détail*
Blackburn, Claire	Chèque n° 1110	75 heures
Caméron, Yvan D.	Chèque n° 1111	76 heures
Ranger, Germaine	Chèque n° 1112	Salaire normal (*régulier*)

Note : *Cette paie est la dernière de l'année pour le cumulatif des employés. Comme la prochaine paie sera déboursée en janvier prochain, elle sera ajoutée au cumulatif de l'année 2007. À la suite de l'émission de cette paie, vous pouvez effectuer la procédure de fin d'année concernant la paie. Pour ce faire, référez-vous à l'annexe 2, à la fin de la simulation.*

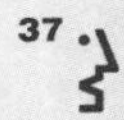

37

Un rabais de 20 % est accordé sur les ventes de **produits** au comptoir. (Ne considérer que si l'on utilise le tableau détaillé des ventes.)

Voici le résultat des factures à émettre pour la semaine.

29

Client	Appareils photo	Lentilles	Accessoires photo	Ensembles	Services de laboratoire	Transport	TPS	TVQ	Total
Imbault, Vandal	−62,91	−125,10	0	0	0	0	−13,16	−15,09	−216,26
Ce client a bénéficié d'un rabais additionnel de 10 % sur sa facture de la semaine dernière correspondant au rabais du Boxing Day.									

31

Client	Appareils photo	Lentilles	Accessoires photo	Ensembles	Services de laboratoire	Transport	TPS	TVQ	Total
Comptant	0	0	770,04	0	345,00	0	78,04	89,50	1 282,58
Carte *Maîtresse*	7 376,80	10 340,00	2 113,00	0	857,00	0	1 448,07	1 660,15	23 795,02
Carte de débit	6 880,80	2 356,00	1 969,00	0	511,00	0	820,15	940,30	13 477,25

DÉPÔT

24 Numéro D-94 2 621,43 $

DOCUMENTS

	Fournisseur	Référence	Montant
28	Bill Canada	28 décembre au 27 janvier	348,48 $
31	Dollar Gagné	Suivi détaillé du compte et des placements	

38

DÉCAISSEMENT (*débours, déboursé*)

39

Vendredi 29 Traite bancaire en règlement de la facture du 1er décembre de Kadok of America Ltd.

AUTRES INFORMATIONS COMPTABLES

31 Denis contresigne le compte de dépenses de novembre d'Annie et émet à son nom le chèque nº 101 pour la rembourser de ses dépenses. À son tour, Annie approuve le compte de dépenses de son frère jumeau et lui émet le chèque nº 151.

9

Pour chacun des fournisseurs suivants : Kadok, Nokin, Tomran et Vavatir, indiquez quel est le total cumulatif des achats (sans les taxes) effectués dans la période du 1er novembre au 31 décembre.

Note : Reportez-vous aux sections 17 et 18 de l'annexe 2.

JANVIER 2007

Dimanche	Lundi	Mardi	Mercredi	Jeudi	Vendredi	Samedi
	1	2	3	4	5	6
7	8	9	10	11	12	13
14	15	16	17	18	19	20
21	22	23	24	25	26	27
28	29	30	31			

Voici le résultat des factures à émettre pour la semaine.

6

Client	Appareils photo	Lentilles	Accessoires photo	Ensembles	Services de laboratoire	Transport	TPS	TVQ	Total
Comptant	299,00	0	20,70	0	326,00	0	45,20	51,81	742,71
Carte *Maîtresse*	658,00	410,00	12,80	0	699,00	0	124,59	142,82	2 047,21
Carte de débit	598,00	0	219,65	0	614,00	0	100,22	114,89	1 646,76

NOVEMBRE DÉCEMBRE JANVIER FÉVRIER

ENCAISSEMENTS

Nom du payeur ou du client		Référence	Montant
5	Association des résidents du lac Memphrémagog	30 novembre	404,89 $
5	Musée de la souveraineté	6 octobre et 15 novembre	15,94 $
5	Jean Laprise Decam	17 décembre (%)	55,79 $
5	Vandal Imbault	19 décembre et 29 décembre (%)	1 926,88 $

DÉPÔT

		Montant
2	Numéro D-95	1 282,58 $

ACHATS

Fournisseur		Référence	Montant
3	Kadok ltée	2007-82003	8 699,34 $
3	Tomran Ltd.	56202	13 936,75 $

40 41

DÉCAISSEMENTS (*débours, déboursés*)

Vendredi 5

Émission de **quatre** chèques (n°s 691 à 694) à l'ordre de fournisseurs en paiement des factures qui arriveront à échéance entre le 5 et le 13 janvier. Parmi les chèques à émettre, il y a celui de *Kadok ltée*. Il y a eu une entente avec les responsables de la comptabilité de votre fournisseur (qui est aussi un client !) afin que vous preniez votre escompte et que vous déduisiez par la suite le montant de la facture que vous leur avez émise en date du 23 décembre. Ainsi, la dette que *Kadok ltée* a envers vous doit être considérée comme réglée. Dans le jargon comptable, cette opération s'appelle un « compte à compte ».

42

4

PAIES

Quinzaine du 17 au 30 décembre

Nom de l'employé	Décaissements	Détail
Blackburn, Claire	Chèque nº 1113	62 heures
Caméron, Yvan D.	Chèque nº 1114	62 heures
Ranger, Germaine	Chèque nº 1115	Salaire normal (*régulier*) + Prime (*bonus*) annuelle de 2 000 $

Notes : *En plus des 62 heures travaillées par Mme Blackburn et M. Caméron, il faut ajouter le congé de la fête de Noël. Aux fins de la simulation, ajoutez sept heures aux employés payés selon un tarif horaire. Il n'est cependant* *pas nécessaire d'ajouter ces heures à Mme Ranger, puisqu'elle reçoit un salaire fixe par période. Les congés lui sont donc déjà payés.*

C'est la première paie de l'année 2007. Dans la réalité, les gouvernements fédéral et provincial nous font parvenir de nouvelles tables de retenues et de cotisations (contributions). Il faudrait donc modifier les paramètres de vos logiciels de paie ou vos tables de retenues avant d'émettre la première paie. Afin de faciliter la réalisation de la simulation, nous conserverons les mêmes paramètres que ceux de l'année 2006.

10 

Depuis le 1er janvier, le salaire brut et les retenues ou déductions ont automatiquement été remis à zéro afin de cumuler les informations relatives à la nouvelle année. Expliquez pourquoi le cumulatif des vacances à payer n'a pas été remis à zéro et qu'il continue de s'additionner aux paies de la nouvelle année.

Voici le résultat des factures à émettre pour la semaine.

13

Client	Appareils photo	Lentilles	Accessoires photo	Ensembles	Services de laboratoire	Transport	TPS	TVQ	Total
Comptant	299,00	0	215,90	0	64,00	0	40,52	46,44	665,86
Carte *Maîtresse*	1 856,00	640,00	600,90	0	298,00	0	237,65	272,42	3 904,97
Carte de débit	1 157,00	0	301,20	0	239,00	0	118,81	136,18	1 952,19

DÉPÔT

7	Numéro D-96	3 146,21 $

ACHATS

	Fournisseur	*Référence*	*Montant*
8	Imprimerie Desbiens inc.	366127	379,58 $
11	Club bureau inc.	5114	4 491,73 $

43

DÉCAISSEMENTS (*débours, déboursés*)

Vendredi 12 Émission des chèques n°s 695 et 696 (datés du 15 janvier) à l'ordre de l'Agence du revenu du Canada et du ministère du Revenu du Québec en paiement des retenues et des cotisations (*contributions*) de décembre.

Émission de deux chèques (n°s 697 et 698) à l'ordre de fournisseurs en paiement des factures qui arriveront à échéance entre le 12 et le 20 janvier.

NOVEMBRE DÉCEMBRE JANVIER FÉVRIER

AUTRES INFORMATIONS COMPTABLES

10 Réception du relevé bancaire de décembre (demandez-le à votre professeur). Vous pouvez maintenant faire vos contrôles et vos régularisations mensuelles afin de produire vos états financiers au 31 décembre. Présentez un état des résultats pour l'exercice terminé le 31 décembre ainsi qu'un bilan à la même date.

44

RÉGULARISATIONS MENSUELLES

Voici un rappel des principaux événements comptables à régulariser :

- La provision pour créances irrécouvrables. On estime la provision pour créances irrécouvrables à 10 % du solde des comptes clients (arrondissez au dollar près) ;
- Les stocks de marchandises de la fin. À l'annexe 4, vous trouverez le tableau de dénombrement (*décompte*) physique des stocks de marchandises ;
- Les assurances, les taxes et la CSST payées d'avance ;
- Les intérêts gagnés sur les obligations de *Tomran Ltd.* ;
- Les amortissements (l'enseigne doit être amortie linéairement sur le reste du bail, à compter de décembre 2006, soit 103 mois) ;
- Les revenus perçus d'avance ;
- Les intérêts sur l'hypothèque ;
- Les salaires et les cotisations (*contributions*) que doit payer l'employeur (notez que la boutique était ouverte le 31 décembre, mais que seulement Annie et Denis étaient présents et qu'ils ne se versent aucun salaire) ;
- Les fournitures de laboratoire et de bureau en main ;
  - laboratoire : 1 800 $;
  - bureau : 420 $;
- Les courroies personnalisées achetées chez *Promotion Bellevue inc.* en magasin ;
  - 675 courroies : valeur à déterminer ;
- Certains documents ayant une incidence sur les mois suivants :
  - *Info concept inc.* ;
  - *Contact Réseau-Pub inc.* ;
  - *Entretien ménager Lenet* ;
  - *Bill Canada* ;
- Certains documents reçus au début de janvier ayant une incidence sur les résultats de décembre :
  - *Kadok ltée* ;
- Enfin, il faut régulariser les ventes d'ensembles (*kits*).

Avant de poursuivre l'enregistrement des écritures comptables de janvier, il ne faut pas oublier d'inscrire les écritures de réouverture du premier janvier.

11 

Comparez la marge bénéficiaire brute (en pourcentage) de l'entreprise du mois de décembre à celle du mois de novembre. Dites si elle lui est inférieure ou supérieure. Indiquez la principale raison de cette variation.

12 ***À la fin de l'année financière, indiquez parmi les trois catégories de produits de vente de la Boutique Image-inne inc. (appareils photo, lentilles et accessoires), laquelle présente le meilleur pourcentage de marge bénéficiaire brute. Laquelle génère le meilleur profit brut ?***

45

15 C'est maintenant le moment d'émettre vos formulaires *Relevé 1* (gouvernement provincial) et *T-4* (gouvernement fédéral) pour les paies de l'année civile 2006. Aux fins de la simulation, considérez que les remises mensuelles de l'année 2006 au gouvernement fédéral correspondent exactement à la somme qui devait être payée sur le *Sommaire T-4*. Considérez que c'est la même chose dans le cas du gouvernement provincial, à l'exception de la somme à payer relativement aux normes du travail. Émettez le chèque nº 699 à l'ordre du ministère du Revenu du Québec pour payer la Commission des normes du travail du Québec.

13 ***Savez-vous ce qu'est la CNT ? Quel est le mandat de cet organisme ? Comment cet organisme peut-il être utile à un responsable de la paie (paie-maître) ?***

Voici le résultat des factures à émettre pour la semaine.

15

Client	Appareils photo	Lentilles	Accessoires photo	Ensembles	Services de laboratoire	Transport	TPS	TVQ	Total
Présentations visuelles Roussel inc.	0	0	0	1 687,50	0	0	118,13	135,42	1 941,05

17

Client	Appareils photo	Lentilles	Accessoires photo	Ensembles	Services de laboratoire	Transport	TPS	TVQ	Total
Musée de la souveraineté	0	0	0	0	489,00	51,00	0	0	540,00

20

Client	Appareils photo	Lentilles	Accessoires photo	Ensembles	Services de laboratoire	Transport	TPS	TVQ	Total
Comptant	299,00	0	137,10	0	87,00	0	36,63	41,97	601,70
Carte *Maîtresse*	1 157,00	0	573,45	0	302,00	0	142,27	163,12	2 337,84
Carte de débit	698,00	0	327,10	0	265,00	0	90,31	103,52	1 483,93

DÉPÔT

14 Numéro D-97 665,86 $

ACHATS

Fournisseur	*Référence*	*Montant*
15 Tomran Ltd.	Crédit 56294	– 668,75 $

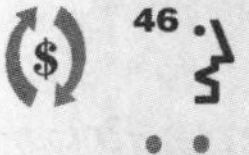

46

18

PAIES

Quinzaine du 31 décembre au 13 janvier

Nom de l'employé	*Décaissements*	*Détail*
Blackburn, Claire	Chèque nº 1116	70 heures
Caméron, Yvan D.	Chèque nº 1117	70 heures
Ranger, Germaine	Chèque nº 1118	Salaire normal (*régulier*)

Voici le résultat des factures à émettre pour la semaine.

24

Client	Appareils photo	Lentilles	Accessoires photo	Ensembles	Services de laboratoire	Transport	TPS	TVQ	Total
École de pilotage Morand-Vollant inc.	2 787,30	2 646,00	0	0	0	0	380,36	436,01	6 249,67

47 *Escompte spécial de 10 %. (Ne considérer que si l'on utilise le tableau détaillé des ventes.)*

27

Client	Appareils photo	Lentilles	Accessoires photo	Ensembles	Services de laboratoire	Transport	TPS	TVQ	Total
Comptant	0	0	73,20	0	98,00	0	11,99	13,74	196,93
Carte *Maîtresse*	1 396,00	265,00	275,00	0	256,00	0	153,44	175,91	2 521,35
Carte de débit	898,00	445,00	105,65	0	301,00	0	122,49	140,41	2 012,55

ENCAISSEMENTS

Nom du payeur ou du client	*Référence*	*Montant*
24 Présentations visuelles Roussel inc.	15 janvier	1 921,64 $
24 Musée de la souveraineté	17 janvier	529,20 $

DÉPÔTS

21 Numéro D-98	601,70 $
25 Numéro D-99	2 450,84 $

ACHATS

Fournisseur		*Référence*	*Montant*
25	Vavatir Canada Ltd.	K-911977	3 028,10 $

DÉCAISSEMENTS (*débours, déboursés*)

26 Émission du chèque n° 700 à l'ordre d'un fournisseur en paiement d'une facture qui arrivera à échéance entre le 26 janvier et le 3 février.

48 Émission du chèque n° 701, daté du 31 janvier, à l'ordre du ministère du Revenu du Québec en paiement des taxes à la consommation du mois de décembre. Préparez votre rapport de taxes et faites l'écriture de présentation des taxes.

Paiement des retenues et des cotisations (*contributions*) au fonds de pension de janvier. Émission du chèque n° 702 (aussi daté du 31 janvier) à l'ordre du gestionnaire du fonds *Les placements Berthiaume et St-Gelais inc.*

14 

On sait que le taux de la TVQ est plus élevé que celui de la TPS. Pouvez-vous expliquer pourquoi la TPS à recevoir est plus élevée que la TVQ à recevoir en date du 31 décembre 2006 ?

AUTRES INFORMATIONS COMPTABLES

25 Réception de la déclaration des salaires 2006-2007 de la Commission de la santé et de la sécurité du travail du Québec (CSST). Selon les renseignements recueillis auprès de Mme Magellan et de Mme Ranger, la masse salariale pour l'année 2007 devrait atteindre 69 000 $.

49 Ce document doit être rempli et retourné à la Commission. Naturellement, vous devez en conserver une copie dans vos dossiers.

Voici le résultat des factures à émettre pour la semaine.

31

Client	Appareils photo	Lentilles	Accessoires photo	Ensembles	Services de laboratoire	Transport	TPS	TVQ	Total
Imbault, Vandal	0	1 651,50	0	0	0	0	115,62	132,53	1 899,65
Comptant	299,00	0	57,20	0	35,00	0	27,39	31,39	449,98
Carte *Maîtresse*	1 257,00	185,00	348,35	0	166,00	12,00	137,79	157,96	2 264,10
Carte de débit	399,00	0	141,30	0	145,00	0	47,97	54,99	788,26

ENCAISSEMENT

Nom du payeur ou du client		*Référence*	*Montant*
29	Ministère du Revenu du Québec	TPS — TVQ 30 nov.	286,09 $

DÉPÔT

28	Numéro D-100	196,93 $

DOCUMENTS

	Fournisseur	*Référence*	*Montant*
28	Bill Canada	28 janvier au 27 février	325,35 $
31	Dollar Gagné	Suivi détaillé du compte et des placements	

15 

Quel produit a généré le meilleur chiffre d'affaires au cours du mois ?

FÉVRIER 2007

Dimanche	Lundi	Mardi	Mercredi	Jeudi	Vendredi	Samedi
				1	2	3
4	5	6	7	8	9	10
11	12	13	14	15	16	17
18	19	20	21	22	23	24
25	26	27	28			

50

AUTRES INFORMATIONS COMPTABLES

À partir de maintenant, la *Boutique Image-Inne inc.* acceptera une deuxième carte de crédit, soit la carte ***Passeport.*** Bien que les modalités d'utilisation de cette carte de crédit soient similaires à celles de la carte déjà acceptée par l'entreprise (carte *Maîtresse*), il faut ouvrir un compte à la *Banque BCB* pour y déposer les ventes réglées avec cette nouvelle carte.

51

Une fois par mois, les sommes accumulées dans ce nouveau compte seront transférées à la *Banque d'Eastman.* Vous n'aurez qu'à faire un chèque de la nouvelle banque et inclure ce dernier dans un dépôt.

5 Réception des écritures de régularisation (demandez cette liste à votre professeur) au 31 décembre 2006 de *Vincent Lecompte, CA.* Au cours de la vérification des livres comptables pour l'exercice financier se terminant à cette date, M. Lecompte n'a pas relevé d'anomalies dans les livres de l'entreprise. Il a fait le calcul des impôts de société, il a provisionné ses honoraires et déclaré des dividendes. Vous devez ajuster les livres comptables de l'année dernière ainsi que les soldes d'ouverture de l'année en cours.

Voici le résultat des factures à émettre pour la semaine.

10

Client	Appareils photo	Lentilles	Accessoires photo	Ensembles	Services de laboratoire	Transport	TPS	TVQ	Total
Plouffe et Cournoyer	899,10	756,00	0	0	0	0	115,87	132,82	1 903,79
Comptant	299,00	0	123,55	0	141,00	0	39,45	45,22	648,22
Carte *Maîtresse*	958,00	3 275,00	317,60	0	255,00	0	336,39	385,64	5 527,63
Carte *Passeport*	0	380,00	215,70	0	45,00	0	44,85	51,42	736,97
Carte de débit	1 198,00	1 240,00	100,45	0	297,00	31,00	200,66	230,02	3 297,13

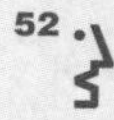

Afin d'augmenter les ventes d'objectifs, la compagnie *Tomran Ltd.* s'associe à la boutique pour faire la promotion suivante : la bague d'adaptation Tomran-Nokin (b-tom-nok) sera gratuite à l'achat d'une lentille (objectif ou zoom) Tomran.

La participation de *Tomran Ltd.* à cette promotion se traduira par un rabais de 50 % du coût d'une bague d'adaptation sur présentation d'une preuve de vente.

ENCAISSEMENTS

	Nom du payeur ou du client	*Référence*	*Montant*
2	École de pilotage Morand-Vollant inc.	27 janvier (%)	6 124,68 $
2	Imbault, Vandal	31 janvier	1 880,65 $

Le client a offert de régler immédiatement sa facture et de bénéficier d'un escompte de 2 %. Mme Ranger accepte.

DÉPÔTS

1	Numéro D-101		736,07 $
4	Numéro D-102		8 005,33 $

ACHATS

	Fournisseur	*Référence*	*Montant*
1	Entretien ménager Lenet	2212	460,10 $
1	Kadok ltée	2007-82198	1 815,55 $
5	Vincent Lecompte, CA	12 865	3 220,70 $
6	Nokin Canada ltée	302 mm 926	3 186,19 $
7	Tomran Ltd.	56775	2 461,00 $

DÉCAISSEMENTS (*débours, déboursés*)

Émission de **cinq** chèques (n°s 703 à 707) à l'ordre de fournisseurs en paiement des factures qui arriveront à échéance entre le 2 et le 10 février.

16 

Posons l'hypothèse que nous sommes le 5 février et que vous devez payer les sommes suivantes le 10 février :

■ ***Kadok ltée***	***9 126,88 $***
■ ***Vavatir Canada Ltd.***	***3 578,12 $***
■ ***Club bureau inc.***	***1 789,66 $***
■ ***Enseignes lumineuses Lalumière***	***4 255,66 $***
■ ***Vincent Lecompte, CA***	***3 111,99 $***

Supposons encore que vous ne disposerez que de 14 000 $ de liquidités à cette date pour payer vos fournisseurs, mais que vous attendez une grosse somme la semaine suivante, ce qui vous permettra de régler toutes ces factures.

Quel(s) fournisseur(s) devriez-vous payer en priorité lorsque vous émettrez vos chèques le 10 février ? Justifiez votre réponse.

Vendredi 9

Émission de **deux** chèques en paiement des impôts de société de l'année 2006. Le chèque n° 708 est émis à l'ordre de l'Agence du revenu du Canada, alors que le n° 709 est fait à l'ordre du ministère du Revenu du Québec. Les chèques sont datés d'aujourd'hui.

53 

Les deux ordres de gouvernement exigent de plus que l'entreprise verse des acomptes provisionnels mensuels. Le chèque n° 710, de 888,00 $, est destiné au gouvernement fédéral (pour couvrir les mois de janvier et de février), alors que le chèque suivant, de 1 110,00 $, est destiné au gouvernement provincial. Ces chèques sont aussi datés d'aujourd'hui.

Vous émettez deux autres chèques (n°s 712 et 713) à l'ordre respectif d'Annie et de Denis Magellan, en paiement des dividendes déclarés au 31 décembre 2006.

Enfin, vous émettez les chèques n°s 714 et 715 (datés du 15 février) à l'ordre de l'Agence du revenu du Canada et du ministère du Revenu du Québec en paiement des retenues et des cotisations (*contributions*) de janvier.

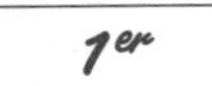

PAIES

Quinzaine du 14 au 27 janvier

Nom de l'employé	*Décaissements*	*Détail*
Blackburn, Claire	Chèque n° 1119	70 heures
Caméron, Yvan D.	Chèque n° 1120	70 heures
Ranger, Germaine	Chèque n° 1121	Salaire normal (*régulier*)

AUTRES INFORMATIONS COMPTABLES

10 Réception du relevé bancaire de janvier (demandez-le à votre professeur). Vous pouvez maintenant faire vos contrôles et vos régularisations mensuelles afin de produire vos états financiers au 31 janvier. Présentez un état des résultats pour le mois de janvier et le bilan au 31 janvier.

RÉGULARISATIONS MENSUELLES

54

Voici un rappel des principaux événements comptables à régulariser :

- Les stocks de marchandises à la fin du mois ;
- Les assurances payées d'avance, les taxes et la CSST à payer. Selon les renseignements recueillis auprès des élus municipaux, les taxes devraient être identiques à celles de l'année précédente ;
- Les intérêts gagnés sur les obligations de *Tomran Ltd.* ;
- Les amortissements (attention aux amortissements dégressifs !) ;
- Les revenus perçus d'avance ;
- Les intérêts sur l'hypothèque ;
- Les salaires et les cotisations (*contributions*) que doit payer l'employeur ;
- Les fournitures de laboratoire et de bureau en main ;
  - laboratoire : 550 $;
  - bureau : 280 $;
- Les courroies personnalisées achetées chez *Promotion Bellevue inc.* en magasin ;
  - 405 courroies : valeur à déterminer ;
- Certains documents ayant une incidence sur les mois suivants :
  - *Info concept inc.* ;
  - *Contact Réseau-Pub inc.* ;
  - *Bill Canada* ;
- Un document reçu au début de février ayant une incidence sur les résultats de janvier :
  - *Entretien ménager Lenet* ;
- Les ventes d'ensembles (*kits*).

Avant de poursuivre l'enregistrement des écritures comptables de février, il est important que vous inscriviez les écritures de réouverture du 1er février.

Voici le résultat des factures à émettre pour la semaine.

Client	Appareils photo	Lentilles	Accessoires photo	Ensembles	Services de laboratoire	Transport	TPS	TVQ	Total
Cliche, Yvan D. (nouveau client)	0	1 921,50	0	0	0	0	134,52	154,20	2 210,22

M. Cliche est reporter photographe et bénéficie de l'escompte de 10 %. Son adresse est la suivante : 777, rue du Soleil, Eastman (Québec) G2F 0T0. Conditions de paiement : net 30 jours.

17

Client	Appareils photo	Lentilles	Accessoires photo	Ensembles	Services de laboratoire	Transport	TPS	TVQ	Total
Comptant	299,00	350,00	215,10	0	155,00	0	71,34	81,77	1 172,21
Carte *Maîtresse*	3 095,00	3 580,00	909,75	0	297,00	0	551,73	632,49	9 065,97
Carte *Passeport*	718,00	755,00	234,65	0	74,00	14,00	125,70	144,10	2 065,45
Carte de débit	1 357,00	1 405,00	734,55	0	322,00	16,00	268,43	307,72	4 410,70

ENCAISSEMENT

Nom du payeur ou du client	*Référence*	*Montant*
17 — Plouffe & Cournoyer	10 février	1 884,75 $

DÉPÔT

11 — Numéro D-103		648,22 $

DOCUMENT COMPTABLE

55

15 — Banque d'Eastman	Avis de débit	119,97 $

15

PAIES

Quinzaine du 28 janvier au 10 février

56

Note : *Les employés ont obtenu une augmentation de salaire. N'oubliez pas de tenir compte des nouvelles conditions salariales.*

Nom de l'employé	*Décaissements*	*Détail*
Blackburn, Claire Nouveau taux horaire : 11,25 $	Chèque n° 1122	70 heures
Caméron, Yvan D. Nouveau taux horaire : 10,00 $	Chèque n° 1123	70 heures
Ranger, Germaine Nouveau salaire périodique : 1 246,15 $	Chèque n° 1124	Salaire normal (*régulier*)

17

En tenant compte de la paie de cette semaine, combien d'heures avez-vous payées à M. Caméron depuis le début de l'année civile ?

Voici le résultat des factures à émettre pour la semaine.

23

Client	Appareils photo	Lentilles	Accessoires photo	Ensembles	Services de laboratoire	Transport	TPS	TVQ	Total
Association des résidents du lac Memphrémagog	0	0	98,00	0	212,00	22,00	23,24	26,64	381,88

24

Client	Appareils photo	Lentilles	Accessoires photo	Ensembles	Services de laboratoire	Transport	TPS	TVQ	Total
Comptant	299,00	165,00	452,40	0	166,00	0	75,78	86,86	1 245,04
Carte *Maîtresse*	3 854,00	2 645,00	1 099,85	0	282,00	0	551,67	632,43	9 064,95
Carte *Passeport*	219,00	1 040,00	213,80	0	62,00	0	107,44	123,17	1 765,41
Carte de débit	2 555,00	1 905,00	315,10	0	302,00	0	355,41	407,44	5 839,95

DÉPÔT

18 Numéro D-104 3 056,96 $

DÉCAISSEMENTS (*débours, déboursés*)

Vendredi 23 Paiement des retenues et des cotisations (*contributions*) au fonds de pension de février. Émission du chèque n° 716 (daté du 28 février) à l'ordre du gestionnaire du fonds *Les placements Berthiaume et St-Gelais inc.*

Émission du chèque n° 717 (daté du 28 février) à l'ordre du ministère du Revenu du Québec en paiement des taxes à la consommation du mois de janvier. Préparez votre rapport de taxes et faites l'écriture de présentation des taxes.

57

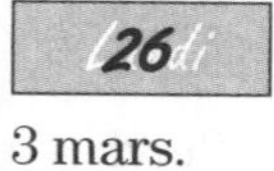

Lundi 26 Émission des chèques nos 718 et 719 à l'ordre de deux fournisseurs en paiement des factures qui arriveront à échéance entre le 23 février et le 3 mars.

Émission du chèque n° 1 de la *Banque BCB* à l'ordre de la *Boutique Image-inne inc.* Le chèque, de 4 500 $, représente la somme à transférer dans le compte bancaire principal de l'entreprise. Il sera inclus dans le dépôt qui sera fait aujourd'hui à la *Banque d'Eastman.*

Voici le résultat des factures à émettre pour la semaine.

27

Client	Appareils photo	Lentilles	Accessoires photo	Ensembles	Services de laboratoire	Transport	TPS	TVQ	Total
Laprise Decam, Jean	0	535,50	0	0	0	0	37,49	42,97	615,96

28

Client	Appareils photo	Lentilles	Accessoires photo	Ensembles	Services de laboratoire	Transport	TPS	TVQ	Total
Comptant	0	0	153,35	0	48,00	0	14,10	16,16	231,61
Carte *Maîtresse*	1 497,00	185,00	232,65	0	101,00	0	141,10	161,75	2 318,50
Carte *Passeport*	0	395,00	21,65	0	87,00	0	35,26	40,42	579,33
Carte de débit	1 098,00	630,00	356,25	0	143,00	10,00	156,61	179,53	2 573,39

18

Parmi les catégories suivantes, pourriez-vous dire quel produit se vend le plus depuis le début du nouvel exercice financier ?

- ***Appareils photo***
- ***Lentilles***
- ***Accessoires photo***

DÉPÔT

26	Numéro D-105	5 745,04 $

ACHATS ET DOCUMENT

	Fournisseur	*Référence*	*Montant*
28	Bill Canada	28 février au 27 mars	319,77 $
28	Kadok of America Ltd.	2007-4564465	50,00 $
28	Lemonde & Ledoux	6534	19,06 $
28	Dollar Gagné	Suivi détaillé du compte et des placements	

AUTRES INFORMATIONS COMPTABLES

28 Denis contresigne le compte de dépenses de février d'Annie et émet à son nom le chèque n° 102 pour la rembourser de ses dépenses. À son tour, Annie approuve le compte de dépenses de son frère jumeau et lui émet le chèque n° 152.

58

Réception du sommaire de compte de la CSST pour l'année 2006-2007. Notez attentivement les inscriptions concernant les prélèvements automatiques.

MARS 2007

Dimanche	Lundi	Mardi	Mercredi	Jeudi	Vendredi	Samedi
				1	2	3
4	5	6	7	8	9	10
11	12	13	14	15	16	17
18	19	20	21	22	23	24
25	26	27	28	29	30	31

NOVEMBRE

DÉCEMBRE

JANVIER

FÉVRIER

AUTRES INFORMATIONS COMPTABLES NÉCESSAIRES POUR TERMINER LA SIMULATION

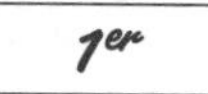

1er

PAIES
Quinzaine du 11 au 24 février

Nom de l'employé	*Décaissements*	*Détail*
Blackburn, Claire	Chèque nº 1125	70 heures
Caméron, Yvan D.	Chèque nº 1126	70 heures
Ranger, Germaine	Chèque nº 1127	Salaire normal (*régulier*)

5 Réception du relevé bancaire de février (demandez-le à votre professeur). Vous pouvez maintenant faire vos contrôles et vos régularisations mensuelles afin de produire vos états financiers au 28 février. Présentez un état des résultats pour le mois de février, un état des résultats pour l'exercice financier après deux mois et le bilan au 28 février.

59

RÉGULARISATIONS MENSUELLES

Voici un rappel des principaux événements comptables à régulariser :

- Les stocks de marchandises à la fin du mois ;
- Les assurances, les taxes et la CSST payées d'avance ;
- Les intérêts gagnés sur les obligations de *Tomran Ltd.* ;
- Les amortissements ;
- Les revenus perçus d'avance ;
- Les intérêts sur l'hypothèque ;
- Les salaires et les cotisations (*contributions*) que doit payer l'employeur ;
- Les fournitures de laboratoire et de bureau en main ;
  - laboratoire : 390 $;
  - bureau : 210 $;
- Les courroies personnalisées achetées chez *Promotion Bellevue inc.* en magasin ;
  - 290 courroies : valeur à déterminer ;

- La facture du 28 février de *Kadok of America Ltd.* en dollars américains ;
- Certains documents ayant une incidence sur les mois suivants :
  - *Info concept inc.* ;
  - *Contact Réseau-Pub inc.* ;
  - *Bill Canada* ;
  - *Entretien ménager Lenet* ;
- Les ventes d'ensembles (*kits*) ;
- Enfin, il faut penser régulariser l'effet de la promotion de la bague d'adaptation Tomran-Nokin lancée en février. Il faut ajuster le coût des marchandises vendues en fonction du crédit à recevoir du fournisseur et de la charge de promotion.

NOVEMBRE

DÉCEMBRE

JANVIER

FÉVRIER

ANNEXE 1
Autres renseignements pertinents sur l'entreprise

Autres clients et fournisseurs réguliers de l'entreprise

Nom du client, détails	Adresse, n° de téléphone	Conditions de paiement, prix	N° de TPS, n° de TVQ
Laflamme et Brûlé Experts en sinistres	666, rue des Sandres Saint-Basile-le-Grand (Québec) H0T 1C1 Tél. : (819) 911-3389	1/10, net 30 jours Rabais 10 % du prix courant	
Plouffe et Cournoyer Experts en sinistres	82, rue des Hauts-fonds Magog (Québec) F0N 9D0 Tél. : (819) 444-0911	1/10, net 30 jours Rabais 10 % du prix courant	
Imbault, Vandal Détectives privés	942, 1re Avenue Eastman (Québec) G2F 0T0 Tél. : (819) 323-1563	1/10, net 30 jours Rabais 10 % du prix courant	
Association des résidents du lac Memphrémagog C. Thibault Laberge	2345, Chemin-du-lac Lac Memphrémagog (Québec) V0G 1C1 Tél. : (819) 965-3428	Net 30 jours	
Présentations visuelles Roussel inc. K. Roussel	877, 1re Avenue Eastman (Québec) G2F 0T0 Tél. : (819) 323-4186	1/10, net 30 jours Rabais 10 % du prix courant	
École de pilotage Morand-Vollant inc. Pierre Morand, Mario Vollant	367, rue Bellevue Eastman (Québec) G2F 0T0 Tél. : (819) 323-8650	Net 30 jours	

Nom du fournisseur, détails	Adresse, n° de téléphone	Conditions de paiement	N° de TPS, n° de TVQ
Le marché aux puces inc. Équipement et fournitures informatiques	7766, rue Principale Eastman (Québec) G2F 0T0 Tél. : (819) 323-1414	Net 30 jours	16487 4381 GF 1324592633 GQ
Imprimerie Desbiens inc. Imprimeur	8812, rue Principale Eastman (Québec) G2F 0T0 Tél. : (819) 323-9493	Net 30 jours	14427 1443 GF 1621495638 GQ
Vincent Lecompte, CA Vérificateur et conseiller externe	Place des affaires, bureau 123 Magog (Québec) D1X 0I0 Tél. : (819) 324-1010	Net 30 jours	17872 1010 GF 1510973562 GQ
▼	▼	▼	▼

Nom du fournisseur, détails (*suite*)	Adresse, nº de téléphone	Conditions de paiement	Nº de TPS, nº de TVQ
Club bureau inc. Fournitures et équipement de bureau	3587, rue Principale Eastman (Québec) G2F 0T0 Tél. : (819) 323-3587	Net 10 jours « FDM »	18266 3587 GF 1915983587 GQ
L'hebdo d'Eastman Achat d'espaces publicitaires	222, 1re Avenue Eastman (Québec) G2F 0T0 Tél. : (819) 323-2221	Net 30 jours	12221 7676 GF 1876876876 GQ
Transport PSU Service de livraison	684, 1re Avenue Eastman (Québec) G2F 0T0 Tél. : (819) 323-1155	Net 10 jours « FDM »	19896 1155 GF 1270361704 GQ
Lemieux & Lepire Courtiers d'assurances	Place des affaires, bureau 666 Magog (Québec) D1X 0I0 Tél. : (819) 324-6666	Deux versements : 1er : 50 % facture 2e : 50 % 30 jours	Pas inscrit Pas inscrit
Bill Canada Services téléphoniques	Case postale 8712 Succursale « Centre-ville » Montréal (Québec) H3C 3P6	Net 30 jours	15144 5041 GF 4188491769 GQ

Tableau d'amortissement de l'hypothèque mobilière

Emprunt mobilier de *Boutique Image-inne inc.*
(taux d'intérêt de 7,2 %)

Date	Mensualité	Capital	Capital cumulé	Intérêts	Intérêts cumulés	Solde
						32 412,00
2006-11-01	415,23	223,61	223,61	191,62	191,62	32 188,39
2006-12-01	415,23	224,93	448,54	190,30	381,92	31 963,46
2007-01-01	415,23	226,26	674,80	188,97	570,89	31 737,20
2007-02-01	415,23	227,60	902,40	187,63	758,52	31 509,60
2007-03-01	415,23	228,95	1 131,35	186,28	944,80	31 280,65
2007-04-01	415,23	230,30	1 361,65	184,93	1 129,73	31 050,35
2007-05-01	415,23	231,66	1 593,31	183,57	1 313,30	30 818,69
2007-06-01	415,23	233,03	1 826,34	182,20	1 495,50	30 585,66
2007-07-01	415,23	234,41	2 060,75	180,82	1 676,32	30 351,25
2007-08-01	415,23	235,80	2 296,55	179,43	1 855,75	30 115,45
2007-09-01	415,23	237,19	2 533,74	178,04	2 033,79	29 878,26
2007-10-01	415,23	238,59	2 772,33	176,64	2 210,43	29 639,67
2007-11-01	415,23	240,00	3 012,33	175,23	2 385,66	29 399,67
2007-12-01	415,23	241,42	3 253,75	173,81	2 559,47	29 158,25

ANNEXE 2
Procédures de fermeture et de validation comptables

1. Faire le rapprochement (*conciliation*) bancaire

Solde à l'état de banque + dépôts en circulation – chèques en circulation	=	Solde au grand livre du compte de *Banque*

Si les comptes ne concordent pas (*si vous ne balancez pas*), il ne faut pas passer à la prochaine étape. Vous devez plutôt analyser le détail des transactions au grand livre du compte de *Banque* et le comparer avec les transactions figurant sur le relevé bancaire.

Il ne faut pas oublier que si le solde du compte de *Banque* est créditeur, ce montant doit apparaître dans le passif à court terme sous la rubrique *Découvert bancaire.*

2. Analyser les autres postes de l'encaisse : la petite caisse et la caisse

Ces deux postes du grand livre doivent avoir un solde débiteur représentant les sommes réellement en main à la date du bilan.

Si les soldes ne concordent pas, il ne faut pas passer à la prochaine étape. Vous devez plutôt analyser le détail des transactions au grand livre du compte erroné et le comparer avec l'état de banque.

3. Faire concorder (*balancer*) l'auxiliaire des comptes clients avec le poste correspondant au grand livre

Total des sommes dues par tous vos clients	=	Solde au grand livre du poste *Comptes clients*

Si le total des sommes dues par tous vos clients ne correspond pas au solde du poste *Comptes clients* (*si vous ne balancez pas*), il ne faut pas passer à la prochaine étape. Il faut plutôt analyser le détail des transactions au grand livre du poste *Comptes clients* et le comparer au détail des transactions (ventes, crédits, encaissements) de l'auxiliaire des comptes clients.

4. Vérifier et ajuster les stocks de marchandises (*inventaire*)

Inventaire périodique En règle générale, à la fin de chaque mois, le comptable évalue les stocks de marchandises, puis il ajuste les livres comptables en conséquence.

Si vous utilisez un logiciel comptable, il est facile de faire une évaluation assez précise de la valeur des stocks de marchandises à l'aide d'un rapport spécialement conçu à cette fin. Si vous ne disposez pas d'un logiciel comptable pour vous aider à évaluer la valeur des stocks de marchandises, nous vous suggérons d'utiliser la *technique de la marge brute* pour estimer un chiffre de la façon la plus réaliste possible. Le guide d'enseignement, fourni au professeur et adapté à votre contexte de réalisation, vous indiquera la marche à suivre.

À la fin de l'exercice financier, l'évaluation des stocks de marchandises sera remplacée par un dénombrement (*décompte*) physique des articles en inventaire. Ce calcul permettra d'établir la valeur réelle des stocks de marchandises en magasin. Les livres comptables devront être ajustés afin de correspondre à la valeur réelle de ce dénombrement. Ensuite, vous devrez aussi ajuster votre auxiliaire des stocks selon les quantités enregistrées au moment du dénombrement. Ici encore, le guide d'enseignement vous indiquera la procédure à suivre pour faire cet ajustement.

Que vous ajustiez vos livres comptables mensuellement ou annuellement, vous devez respecter les trois principes suivants :

a) Le compte *Stocks de marchandises* au bilan doit correspondre à la valeur réelle ou estimée en date du bilan.

b) Le compte *Stocks de marchandises du début* (dans le coût des marchandises vendues) doit correspondre à la valeur des stocks de marchandises déterminée au début de l'exercice financier.

c) Le compte *Stocks de marchandises de la fin* (dans le coût des marchandises vendues) doit correspondre à la valeur des stocks de marchandises indiquée au bilan, soit à la fin de la période couverte par l'état des résultats.

Inventaire permanent En règle générale, dans le cas des systèmes comptables utilisant un inventaire permanent, on n'a pas à ajuster les livres comptables mensuellement étant donné que la valeur des stocks de marchandises est ajustée et connue en permanence.

Toutefois, à la fin de l'exercice financier, le dénombrement physique des stocks de marchandises montrera, à coup sûr, une différence avec le solde indiqué par votre système comptable. Les erreurs administratives et le vol expliquent le plus souvent cet écart. À ce moment-là, les livres comptables ainsi que votre auxiliaire des stocks devront être ajustés afin de correspondre à la valeur réelle du dénombrement.

5. Vérifier la logique du solde des autres postes de l'actif à court terme

Le solde est-il débiteur ? Dans l'affirmative, la situation semble normale, à moins que ce poste soit un compte de contrepartie (p. ex. : *Provision pour créances irrécouvrables* [*créances douteuses, mauvaises créances*]).

Si le solde est créditeur et qu'il ne s'agisse pas d'un compte de contrepartie, il y a nécessairement une erreur.

Le solde peut-il être justifié ? Le solde présenté au bilan devrait être appuyé d'une preuve du montant y figurant. Un état de compte, une liste détaillée ou bien une feuille des calculs effectués par le comptable (surtout dans le cas des régularisations) doit justifier ce montant.

Si le solde du compte n'est pas logique ou n'est pas justifié, il ne faut pas passer à la prochaine étape. Vous devez plutôt analyser le détail des transactions au grand livre du ou des postes et justifier le solde.

6. Vérifier le solde des postes d'immobilisations

Solde au début de la période + acquisitions – dispositions	=	Solde au grand livre de chaque compte d'*Immobilisation*

En règle générale, les transactions relatives aux immobilisations sont peu fréquentes (sauf dans le cas d'un démarrage d'entreprise). Il est donc facile de suivre l'évolution de ce type de compte. N'oubliez pas que vous devez créer un compte au grand livre pour chaque catégorie d'immobilisations (*Équipement de bureau, Matériel roulant, Enseigne publicitaire*, etc.). Rappelez-vous aussi que le montant des taxes ne doit pas être inclus dans le coût des immobilisations puisque celles-ci vous sont remboursées par les gouvernements fédéral et provincial.

Le solde de chaque compte d'immobilisations doit être débiteur et doit correspondre au coût d'acquisition de tous les biens achetés dans la même catégorie.

7. Vérifier le solde des postes *Amortissement cumulé*

Solde au début de la période + ajouts de la période – radiation de la période	=	Solde au grand livre de chaque compte d'*Amortissement cumulé*

Vous devez créer un compte d'amortissement cumulé au grand livre pour chaque catégorie de compte d'immobilisation amortissable créé (*Équipement de bureau, Matériel roulant, Enseigne publicitaire*, etc.). S'il n'y a ni acquisition ni disposition d'immobilisation durant la période et qu'il s'agisse d'un amortissement linéaire, l'amortissement ajouté durant cette période doit être égal à celui de la dernière période. Le solde de la fin est donc facile à prévoir. Dans le cas d'amortissement dégressif, le résultat de l'année sera proportionnel à celui de l'année dernière, en fonction du taux d'amortissement. Par exemple, dans le cas d'un actif immobilisé dont le taux est de 20 % dégressif (sans acquisition d'immobilisations), l'amortissement de l'année en cours serait égal à 80 % de l'amortissement de l'exercice financier précédent.

Le solde de chaque compte d'amortissement cumulé doit être créditeur et doit évoluer selon les acquisitions et les dispositions d'immobilisations dans sa catégorie.

8. Vérifier la marge de crédit

Le solde du poste *Marge de crédit* au grand livre correspond-il à la somme réellement avancée par la banque ?

Si le solde ne correspond pas à cette somme, il ne faut pas passer à la prochaine étape. Vous devez plutôt analyser le détail des transactions au grand livre du compte *Marge de crédit* et le comparer avec les transactions sur votre relevé d'emprunt (cette information se trouve généralement sur le relevé bancaire).

9. Faire concorder (*balancer*) l'auxiliaire des *Comptes fournisseurs* avec le poste correspondant au grand livre

Total des sommes dues à tous vos fournisseurs	=	Solde au grand livre du poste *Comptes fournisseurs*

Si le total des sommes dues par tous vos fournisseurs ne correspond pas au solde du poste *Comptes fournisseurs*, il ne faut pas passer à la prochaine étape. Vous devez plutôt analyser le détail des transactions au grand livre du poste *Comptes fournisseurs* et le comparer au détail des transactions (achats, notes de crédit des fournisseurs, décaissements [*débours, déboursés*]) de l'auxiliaire des comptes fournisseurs.

10. Vérifier les autres emprunts (à court et à long terme)

Normalement, nous devrions trouver un compte du grand livre par emprunt. À la date du bilan, ce compte doit représenter le solde dû.

Si le solde (créditeur) d'un compte ne correspond pas, il ne faut pas passer à la prochaine étape. Vous devez plutôt analyser le détail des transactions au grand livre de ce compte et le comparer avec les transactions figurant sur votre relevé d'emprunt (on peut aussi trouver l'information dans un tableau d'amortissement).

11. Vérifier et faire concorder (*balancer*) le formulaire relatif aux taxes de vente avec les postes correspondants du grand livre

Chiffre d'affaires du formulaire relatif aux taxes de vente	doit égaler	Chiffre d'affaires à l'état des résultats de la période, sans prise en compte des régularisations concernant les comptes de produits

Le chiffre d'affaires du formulaire relatif aux taxes de vente doit être égal au chiffre d'affaires à l'état des résultats de la période, moins les variations causées par les écritures de régularisation (s'il y a lieu). S'il y a concordance, c'est parfait ! Sinon, vous devez trouver l'écart en analysant le détail des transactions des comptes de produits (*ventes*) au grand livre et les transactions figurant sur le formulaire relatif aux taxes de vente.

Chiffre d'affaires × Taux de TPS	=	Montant figurant sur le formulaire relatif aux taxes de vente pour la TPS à payer

S'il y a concordance, c'est parfait ! Sinon, vous devez trouver l'écart et l'expliquer en analysant le détail des transactions pour le compte de TPS à payer et les transactions à l'origine des renseignements contenus dans le formulaire relatif aux taxes de vente. Souvent, l'écart est dû à la comptabilisation de clients exemptés de taxes.

Même étape pour la TVQ à payer.

Faites concorder (*balancer*) le solde des postes de taxes sur le formulaire relatif aux taxes de vente avec les postes correspondants sur la balance de vérification (cumulative) ou sur le bilan.

- TPS à payer
- TPS à recevoir
- TVQ à payer
- TVQ à recevoir
- Taxes nettes

Si les comptes ne correspondent pas (*si vous ne balancez pas*), il ne faut pas passer à la prochaine étape. Vous devez plutôt comparer le détail des transactions au grand livre des postes de taxes avec le détail des renseignements contenus dans le formulaire relatif aux taxes de vente.

Lorsque les soldes correspondent tous, vous pouvez faire l'écriture de présentation des taxes. Cette écriture consiste à débiter les comptes de taxes à payer et à créditer les comptes de taxes à recevoir afin de les remettre à zéro. La contrepartie utilisée sera le poste *Taxes à la consommation à payer* (si nous devons payer des taxes) ou le poste *Taxes à la consommation à recevoir* (si nous avons droit à un remboursement du gouvernement).

12. Vérifier la logique du solde du poste *Bénéfices non répartis (BNR)*

Solde au début du mois + bénéfice net du mois – perte nette du mois	=	Solde au grand livre du compte *Bénéfices non répartis*

À moins d'avoir fait une écriture de clôture à la suite d'un exercice financier où un dividende a été déclaré, ce poste ne variera qu'en fonction du bénéfice net ou de la perte nette figurant à l'état des résultats.

13. Analyser les soldes des postes de l'état des résultats

Vérifier le solde des postes du bilan est relativement facile, puisque l'on compare un solde avec un bien ou une dette facilement vérifiable. Ce n'est pas le cas des postes de produits (*ventes, revenus*) et de charges (*dépenses*).

Le solde de ce compte est-il logique ? Les postes qui doivent être régularisés l'ont-ils été (*Assurances, Amortissements cumulés*, etc.) ? Avons-nous un poste de charge avec un résultat négatif pour la période ? Est-ce normal qu'une charge n'ait pas été affectée durant la période ? Pouvez-vous expliquer une forte augmentation d'un poste de charge ?

S'agit-il de frais fixes ou de frais variables ? S'il s'agit d'une charge fixe, la charge devrait être régulière et équivalente d'une période à l'autre. Au contraire, s'il s'agit d'une charge variable, elle devrait suivre l'évolution des produits d'exploitation (*ventes*) qui lui sont liés.

Puis-je comparer les résultats avec des chiffres comparatifs (budget, année antérieure, mois précédent ou guide-solutionnaire) ? Tout écart important devrait être justifié et explicable.

14. Émettre ou imprimer la balance de vérification et les états financiers (bilan et état des résultats)

Normalement, on émet la balance de vérification et le bilan *à une date donnée* en tenant compte du solde cumulatif des comptes du grand livre. Pour sa part, l'état des résultats fait référence à une période de temps particulière. Généralement, on émet un état des résultats mensuel et un état des résultats cumulatif pour l'année financière à la date de fin de période.

15. Faire une copie de sécurité (opération informatisée)

On ne saurait trop insister sur la nécessité de faire régulièrement des copies de sécurité lorsque l'on tient une comptabilité à l'aide d'un logiciel comptable. Pour certains logiciels comptables, la procédure de fin de mois est souvent une procédure définitive sans possibilité de retour en arrière. Il est donc impératif de prévoir un mécanisme qui nous permette de revenir en arrière. Il est recommandé de faire une copie de sécurité juste avant d'effectuer une procédure de fin de période (mois ou année) et une autre, sur une autre disquette, juste après la procédure.

D'un mois à l'autre, utilisez de nouvelles disquettes pour faire vos copies de sécurité et indiquez bien la date ainsi que le contenu des informations archivées. Vous aurez ainsi la possibilité de revenir en arrière à n'importe quelle période comptable. Il est conseillé de faire au moins deux séries de copies de sécurité sur deux disquettes distinctes (ou deux séries de disquettes) et de les ranger à des endroits différents. Vous êtes ainsi à l'abri d'un vol, d'un bris ou simplement de la perte d'une disquette.

16. Exécuter la procédure de fin de mois (opération informatisée)

En règle générale, il faut exécuter une procédure (de fin de mois) permettant à votre logiciel comptable de passer au prochain mois ou à la période comptable suivante. Certains logiciels comptables exigent simplement qu'on change la date d'utilisation tandis que d'autres nécessitent des procédures spécialement conçues à cette fin. Votre professeur saura vous guider à cet effet.

17. Exécuter la procédure de fin d'année (opération manuelle)

Une fois les dernières transactions comptables quotidiennes enregistrées dans les différents journaux (paies, ventes, achats, encaissements et décaissements), il faut préparer le chiffrier (facultatif), inscrire les écritures de régularisation dans le journal général et procéder à la validation des résultats financiers. Cette étape vous obligera certainement à faire quelques ajustements comptables. Une fois ces nouvelles écritures enregistrées et reportées au grand livre, vous dressez une balance de vérification ainsi que les états financiers, soit l'état des résultats, l'état de l'avoir des actionnaires, l'état des bénéfices non répartis et le bilan.

Par la suite, vous devez procéder aux écritures de clôture (*fermeture*) dans le journal général et dresser une balance de vérification une fois les postes de produits et de charges remis à zéro ; c'est la balance de vérification après clôture.

Notons qu'il n'est pas nécessaire d'avoir complètement terminé la fermeture d'un exercice financier pour procéder aux inscriptions comptables de l'exercice suivant. Il suffit de sauter quelques lignes dans les journaux et les livres comptables susceptibles d'être encore utilisés pour conclure l'année et de procéder à l'inscription des transactions du nouvel exercice. Parmi les journaux comptables couramment utilisés, le journal général et le journal des achats sont ceux qui nécessitent le plus de transactions relatives à l'exercice précédent.

Enfin, mentionnons qu'il n'est pas nécessaire d'utiliser de nouveaux journaux comptables ou un nouveau grand livre pour la tenue des livres d'un nouvel exercice financier. Un simple trait faisant ressortir les soldes de l'exercice précédent et le saut de quelques lignes suffiront.

18. Exécuter la procédure de fin d'année (opération informatisée)

Une fois les dernières transactions comptables quotidiennes enregistrées dans les différents journaux informatisés ou modules (paies, ventes, achats, encaissements et décaissements), il faut inscrire les écritures de régularisation et procéder à la validation des résultats financiers. Cette étape vous obligera certainement à faire quelques ajustements comptables. Une fois ces nouvelles écritures enregistrées et reportées au grand livre, vous émettez une balance de vérification ainsi que les états financiers, soit l'état des résultats, l'état de l'avoir des actionnaires et le bilan.

Par la suite, vous devez activer une procédure de fin d'année financière. Cette procédure prépare les livres comptables pour le nouvel exercice et permet d'inscrire automatiquement les écritures de clôture (*fermeture*). Seuls les comptes de l'avoir des actionnaires qui doivent être fermés feront l'objet d'une intervention de la part du comptable. C'est le cas du compte *Dividendes*, par exemple. Il s'agit là d'une étape de « non retour » ; il est donc primordial que vous fassiez une copie de sécurité de vos données avant d'activer cette procédure.

Comme c'est le cas dans la pratique, il est presque impossible que vous ayez terminé toutes les étapes nécessaires à la fermeture de l'exercice précédent avant le moment d'inscrire les transactions du nouvel exercice financier. *Avantage*, un logiciel comptable couramment utilisé, est pourvu d'un mécanisme permettant de résoudre aisément cette situation. Si vous utilisez un autre logiciel comptable, vous devrez mettre deux « compagnies » en parallèle. Une première « compagnie » correspondra à vos fichiers une fois la procédure de l'exercice précédent exécutée (même si toutes les transactions n'avaient pas été enregistrées). Dans cette « compagnie », vous pourrez procéder à l'inscription des transactions courantes du nouvel exercice. La seconde « compagnie » représentera les fichiers de l'exercice financier précédent, avant la procédure de fin d'année. Les transactions comptables relatives à cet exercice financier devront y être inscrites. Une fois que vous aurez terminé l'enregistrement des dernières transactions comptables du dernier exercice financier, il faudra ajuster les soldes d'ouverture des comptes dans la « compagnie » représentant l'exercice financier en cours.

19. Exécuter la procédure de fin d'année civile de la paie

Une fois l'an, un employeur doit émettre un rapport pour chaque employé aux deux ordres de gouvernement. Ce rapport doit indiquer le salaire brut gagné ainsi que les déductions payées par l'employé pour l'année civile qui vient de se terminer. Selon qu'il s'agit du gouvernement fédéral ou provincial, ce rapport s'intitule respectivement *T-4* et *Relevé 1*.

Rappelons que l'année fiscale de l'employé est basée sur le système de la comptabilité de caisse. Cela signifie que ce n'est pas la période de travail qui est considérée pour attribuer la paie au cumulatif d'une année, mais bien la date du débours (*déboursé, paiement*) de la paie. Par exemple, un employé qui travaillerait du 22 au 29 décembre 2006 et qui serait payé le 3 janvier 2007 verrait son salaire cumulé en 2007, même s'il a travaillé en 2006. Cette même règle s'applique aussi lorsque vient le temps de faire les remises gouvernementales mensuelles.

Dès que le dernier chèque de paie de décembre est émis, vous pouvez donc commencer les procédures nécessaires à l'émission des formulaires *T-4* et *Relevé 1*. La première étape consiste à cumuler le salaire brut et toutes les déductions pour chacun des employés. Par la suite, les totaux individuels doivent être additionnés afin d'établir le total des salaires et de chacune des déductions pour l'année de référence.

Il faut ensuite vérifier si les totaux concordent avec vos livres comptables pour la même période de référence. Si votre exercice financier s'établit du 1er janvier au 31 décembre, la tâche sera plus facile, puisque vous n'aurez à établir le parallèle qu'avec les résultats comptables d'un seul exercice financier. Les salaires totaux cumulatifs correspondent-ils aux salaires portés au débit du compte de salaires dans votre système comptable ? Dans l'affirmative, il y a peu de chances que vos cumulatifs individuels soient erronés. Dans la négative, il faudra justifier la différence. À cet égard, les régularisations comptables sont souvent à la source de cette différence étant donné que leur raison d'être est de synchroniser les produits et les charges d'une comptabilité d'exercice, alors que les cumulatifs des employés répondent à une règle de comptabilité de caisse.

Une fois le rapprochement des salaires effectué, il faut répéter l'opération pour chaque cumulatif des déductions avec les livres comptables. Par exemple, le total de l'impôt provincial retenu pour tous les employés doit correspondre au total des sommes créditées dans le poste *Impôt provincial retenu à payer*.

Si vous tenez la paie manuellement, vous pouvez maintenant émettre les formulaires *Relevé 1* et *T-4* à partir des cumulatifs totaux individuels établis précédemment. Enfin, vous vous servirez des cumulatifs totaux pour émettre les *Rapports sommaires T-4* au fédéral et les *Rapports sommaires Relevé 1* au provincial. Ces formulaires sont fournis dans le guide d'enseignement.

En revanche, si vous utilisez un logiciel comptable pour tenir la paie, vous devez sans faute penser à vous faire une copie de sécurité avant d'exécuter une procédure précise permettant de réinitialiser vos dossiers de paie et de commencer l'année suivante. Le guide d'enseignement fournit l'information technique nécessaire à cette étape. Vous pouvez ensuite émettre les formulaires *Relevé 1* et *T-4* ainsi que les rapports cumulatifs.

ANNEXE 3
Plan comptable de la *Boutique Image-inne inc.*

Seuls les postes pouvant faire l'objet de transactions sont énumérés.

DESCRIPTION	*Avantage®*	*Acomba® Fortune 1000®*	*Simple Comptable MD + comptabilité manuelle*	*IGRF*
ACTIF				
Actif à court terme				
Caisse	10110	10110	1010	1001
Petite caisse	10120	10120	1020	1001
Banque BCB	10140	10140	1040	1001
Banque d'Eastman	10150	10150	1050	1001
Dépôts carte crédit et débit (compte transitoire)	n/a	n/a	1052	1001
Comptes clients	11400	11400	1100	1060
Provision pour créances irrécouvrables	11405	11405	1109	1061
Chèques retournés à recevoir	11440	11440	1150	1060
Taxes à la consommation à recevoir	11460	11460	1170	1066
Intérêts à recevoir	11480	11480	1180	1067
Stocks de marchandises	11500	11500	1200	1121
Ajustement des stocks de marchandises (temporaire)	n/a	n/a	1205	1121
Fournitures de laboratoire en main	11710	11710	1300	1122
Fournitures de bureau en main	11730	11730	1320	1122
Courroies promotionnelles en magasin	11750	11750	1340	1122
Avance à un fournisseur	11910	n/a	n/a	1484
Assurances payées d'avance	12310	12310	1510	1484
Taxes payées d'avance	12320	12320	1520	1484
CSST payée d'avance	12350	12350	1550	1484
Autres charges payées d'avance	12370	12370	1570	1484
Acomptes provisionnels — Fédéral	12380	12380	1580	1483
Acomptes provisionnels — Provincial	12385	12385	1585	1483
Placements				
Compte de placement liquide D.G.	14110	14110	1610	1180
Obligations Tomran Ltd.	14130	14130	1630	2306
Actions Nokin Canada	14150	14150	1650	2303
Actions Vavatir Canada	14160	14160	1660	2303
Immobilisations				
Ameublement de bureau	15110	15110	1710	1787
Amortissement cumulé — Ameublement de bureau	15150	15150	1715	1788
Ameublement de magasin	15510	15510	1730	1787
▼	▼	▼	▼	▼

DESCRIPTION	*Avantage®*	*Acomba® Fortune 1000®*	*Simple Comptable*[MD] + *comptabilité manuelle*	*IGRF*
Amortissement cumulé — Ameublement de magasin	15550	15550	1735	1788
Équipement de laboratoire	16010	16010	1750	1758
Amortissement cumulé — Équipement de laboratoire	16050	16050	1755	1759
Équipement informatique	16510	16510	1770	1774
Amortissement cumulé — Équipement informatique	16550	16550	1775	1775
Enseigne	16590	16590	1790	1787
Amortissement cumulé — Enseigne	16595	16595	1795	1788
Améliorations locatives	18510	18510	1810	1918
Amortissement cumulé — Améliorations locatives	18550	18550	1815	1919
Frais de constitution	19110	19110	1960	2018
Amortissement cumulé — Frais de constitution	19150	19150	1965	2019
PASSIF et AVOIR				
Passif à court terme				
Marge de crédit	20150	20150	2050	2701
Comptes fournisseurs	20400	20400	2100	2621
Taxes à la consommation à payer	20600	20600	2120	2680
TPS à payer	20610	20610	2122	2680
TPS à recevoir	20620	20620	2124	1066
TVQ à payer	20660	20660	2126	2680
TVQ à recevoir	20670	20670	2128	1066
Salaire net à payer	20800	20800	n/a	2624
Salaire net à payer (comptabilité manuelle)			2190	
Retenues et contributions fédérales à payer	20810	20810	n/a	2627
Impôt fédéral à payer	n/a	n/a	2132	2627
Assurance-emploi à payer	n/a	n/a	2134	2627
RPC à payer	n/a	n/a	2136	2627
Retenues et contributions provinciales à payer	20860	20860	n/a	2627
Impôt provincial à payer	n/a	n/a	2142	2627
RRQ à payer	n/a	n/a	2144	2627
FSS à payer	n/a	n/a	2146	2627
CSST à payer	20870	20870	2150	2627
Fonds de pension à payer	20880	20880	2155	2627
Vacances à payer	20890	20890	2160	2624
Charges courues à payer	21110	21110	2170	2620
Dividendes à payer	21210	21210	2175	2962
Impôts sur le revenu fédéral à payer	21310	21310	2180	2680
Impôts sur le revenu provincial à payer	21360	21360	2185	2680
Revenus perçus d'avance	21510	21510	2310	2770
▼	▼	▼	▼	▼

DESCRIPTION	*Avantage®*	*Acomba® Fortune 1000®*	*Simple ComptableMD + comptabilité manuelle*	*IGRF*
Passif à long terme				
Hypothèque mobilière	25500	25500	2750	3141
Avoir des actionnaires				
Capital-actions ordinaires	26100	26100	3100	3500
Bénéfices non répartis	26500	26500	3500	3600
Dividendes	26600	26600	3550	3700
PRODUITS D'EXPLOITATION				
Ventes — Appareils photo	31000	31000	4100	8000
Ventes — Lentilles	32000	32000	4200	8000
Ventes — Accessoires photo	33000	33000	4300	8000
Ventes d'ensembles	33700	33700	4490	8000
Escomptes sur ventes	33900	33900	4510	8000
Services de laboratoire	34000	34000	4700	8000
Revenus de transport	34500	34500	4800	8000
Autres revenus				
Intérêts créditeurs	34610	34610	4940	8094
Revenus de dividendes	34650	34650	4950	8096
Gain sur vente d'actions	34680	34680	4980	8211
COÛT DES MARCHANDISES VENDUES				
Stock du début — Appareils photo	35100	35100	5001*	8320
Stock du début — Lentilles	35200	35200	5002*	8320
Stock du début — Accessoires photo	35300	35300	5003*	8320
Achats — Appareils photo	36100	36100	5010	8320
Achats — Lentilles	36200	36200	5020	8320
Achats — Accessoires photo	36300	36300	5030	8320
Escomptes sur achats	37900	37900	5060	8320
Transport sur achats / Fret à l'achat	38500	38500	5080	8320
Stock de la fin — Appareils photo	39100	39100	5091*	8320
Stock de la fin — Lentilles	39200	39200	5092*	8320
Stock de la fin — Accessoires photo	39300	39300	5093*	8320
* : Inventaire périodique seulement				
CHARGES D'EXPLOITATION				
Frais de vente				
Salaires — Commis et laboratoire	40200	40200	5110	9066
Avantages sociaux — Commis et laboratoire	40210	40210	5120	8622
Assurance-emploi — Commis et laboratoire	n/a	n/a	5122	8622
RRQ — Commis et laboratoire	n/a	n/a	5124	8622
RPC — Commis et laboratoire	n/a	n/a	5125	8622
FSS — Commis et laboratoire	n/a	n/a	5126	8622
▼	▼	▼	▼	▼

DESCRIPTION	*Avantage®*	*Acomba® Fortune 1000®*	*Simple Comptable*MD *+ comptabilité manuelle*	*IGRF*
Contributions volontaires (*bénéfices marginaux*) — Commis et laboratoire	40220	40220	5130	8620
Vacances — Commis et laboratoire	40230	40230	5140	9066
CSST — Commis et laboratoire	40250	40250	5150	8622
Loyer	40610	40610	5210	8911
Taxes d'affaires et permis	40630	40630	5230	8760
Télécommunications	40650	40650	5240	9225
Entretien et réparation — Loyer	40670	40670	5260	8961
Entretien et réparation — Équipements	40675	40675	5280	8964
Assurances	40690	40690	5310	8690
Fournitures de laboratoire utilisées	41000	41000	5330	8866
Frais de livraison	41500	41500	5380	9274
Publicité	42210	42210	5400	8521
Promotion	42230	42230	5410	8524
Frais de représentation	42250	42250	5420	8523
Amortissement — Ameublement de magasin	44150	44150	5535	8670
Amortissement — Équipement de laboratoire	44160	44160	5555	8670
Amortissement — Enseigne	44170	44170	5575	8670
Amortissement — Améliorations locatives	44185	44185	5585	8670
Frais d'administration				
Honoraires	45610	45610	5680	8860
Frais de déplacement des administrateurs	46120	46120	5700	9200
Dépenses générales de bureau	46410	46410	5720	8811
Créances irrécouvrables	47210	47210	5740	8590
Frais de banque	48110	48110	5750	8715
Frais de perception cartes de crédit	48150	48150	5770	8716
Intérêts sur financement à court terme	48510	48510	5790	8711
Intérêts sur financement à long terme	48550	48550	5810	8713
Amortissement — Ameublement de bureau	49151	49151	5865	8670
Amortissement — Équipement informatique	49165	49165	5875	8670
Amortissement — Frais de constitution	49185	49185	5895	8570
Frais de courtage	49510	49510	5920	8869
Sommaire des résultats (comptabilité manuelle seulement)			9999	

ANNEXE 4
Rapport de dénombrement des stocks

Boutique Image-inne inc.
Rapport de dénombrement physique (quantité et valeur prévues et réelles)
Au 31 décembre 2006

Numéro	Description	Prix	Quantité prévue	Quantité réelle	Coût	Valeur prévue	Valeur réelle	Marge (%)
au-kad-p	Appareil automatique 35 mm	199,00	6	6	98,00	588,00	588,00	50,75
au-nok-l	Appareil automatique 35 mm	219,00	7	7	110,00	770,00	770,00	49,77
b-tom-nok	Bague d'adaptation Tomran-Nokin	45,00	**14**	**12**	25,00	350,00	300,00	44,44
dn-kad	Disque numérique Kadok	11,95	**21**	**18**	5,95	124,95	107,10	50,21
d-nok-2x	Doubleur de lentille Nokin	245,00	5	5	125,00	625,00	625,00	48,98
d-tom-2x	Doubleur de lentille Tomran	145,00	**6**	**5**	75,00	450,00	375,00	48,28
f-kad-100	Film Kadok 100 ISO	2,95	**78**	**73**	1,45	113,10	105,85	50,85
f-kad-200	Film Kadok 200 ISO	2,95	**77**	**71**	1,45	111,65	102,95	50,85
f-kad-25	Film Kadok 25 ISO	4,95	**56**	**53**	2,45	137,20	129,85	50,51
f-kad-400	Film Kadok 400 ISO	3,95	**57**	**58**	1,95	111,15	113,10	50,63
f-kad-64	Film Kadok 64 ISO	3,95	**62**	**61**	1,95	120,90	118,95	50,63
f-vav-185	Flash Vavatir — modèle 185	95,00	9	9	46,00	414,00	414,00	51,58
f-vav-285	Flash Vavatir — modèle 285	195,00	14	14	96,00	1 344,00	1 344,00	50,77
f-vav-485	Flash Vavatir — modèle 485	295,00	8	8	146,00	1 168,00	1 168,00	50,51
m-vav-486	Pied Vavatir — modèle 486	109,00	5	5	54,00	270,00	270,00	50,46
na-kad-n1	Appareil numérique automatique kadok N1	299,00	3	3	145,00	435,00	435,00	51,51
na-kad-n2	Appareil numérique automatique kadok N2	359,00	3	3	175,00	525,00	525,00	51,25
na-kad-n3	Appareil numérique automatique kadok N3	399,00	3	3	195,00	585,00	585,00	51,13
na-nok-x2	Appareil numérique automatique Nokin X2	499,00	8	8	250,00	2 000,00	2 000,00	49,90
na-nok-x4	Appareil numérique automatique Nokin X4	599,00	8	8	295,00	2 360,00	2 360,00	50,75
na-nok-x6	Appareil numérique automatique Nokin X6	699,00	12	12	350,00	4 200,00	4 200,00	49,93
nr-nok-pr	Appareil numérique réflex Nokin PR	1 699,00	7	7	835,00	5 845,00	5 845,00	50,85
nr-nok-ss	Appareil numérique réflex Nokin SS	999,00	11	11	495,00	5 445,00	5 445,00	50,45
o-nok-1000	Objectif Nokin 1 000 mm	1 995,00	4	4	1 025,00	4 100,00	4 100,00	48,62
▼	▼	▼	▼	▼	▼	▼	▼	▼

Boutique Image-inne inc.
Rapport de dénombrement physique (quantité et valeur prévues et réelles)
Au 31 décembre 2006 (_suite_)

Numéro	Description	Prix	Quantité prévue	Quantité réelle	Coût	Valeur prévue	Valeur réelle	Marge (%)
o-nok-135	Objectif Nokin 135 mm	375,00	3	3	185,00	555,00	555,00	50,67
o-nok-18	Objectif Nokin 18 mm	895,00	4	4	445,00	1 780,00	1 780,00	50,28
o-nok-35	Objectif Nokin 35 mm	285,00	4	4	135,00	540,00	540,00	52,63
o-nok-50	Objectif Nokin 50 mm	265,00	4	4	125,00	500,00	500,00	52,83
o-nok-500	Objectif Nokin 500 mm	995,00	3	3	495,00	1 485,00	1 485,00	50,25
o-tom-1000	Objectif Tomran 1 000 mm	1 295,00	4	4	645,00	2 580,00	2 580,00	50,19
o-tom-135	Objectif Tomran 135 mm	235,00	2	2	120,00	240,00	240,00	48,94
o-tom-18	Objectif Tomran 18 mm	595,00	5	5	295,00	1 475,00	1 475,00	50,42
o-tom-35	Objectif Tomran 35 mm	185,00	7	7	90,00	630,00	630,00	51,35
o-tom-50	Objectif Tomran 50 mm	165,00	8	8	80,00	640,00	640,00	51,52
o-tom-500	Objectif Tomran 500 mm	645,00	3	3	325,00	975,00	975,00	49,61
rf-nok-2s	Appareil réflex 35 mm Nokin 2S	299,00	5	5	149,00	745,00	745,00	50,17
rf-nok-4x	Appareil réflex 35 mm Nokin 4X	499,00	5	5	242,00	1 210,00	1 210,00	51,50
t-vav-286	Trépied Vavatir — modèle 286	59,00	8	8	29,00	232,00	232,00	50,85
t-vav-486	Trépied Vavatir — modèle 486	199,00	13	13	99,00	1 287,00	1 287,00	50,25
z-nok-35-120	Zoom Nokin 35-120 mm	495,00	5	5	245,00	1 225,00	1 225,00	50,51
z-nok-80-200	Zoom Nokin 80-200 mm	595,00	4	4	295,00	1 180,00	1 180,00	50,42
z-tom-35-125	Zoom Tomran 35-125 mm	395,00	7	7	195,00	1 365,00	1 365,00	50,63
z-tom-80-200	Zoom Tomran 80-200 mm	445,00	2	2	225,00	450,00	450,00	49,44
						51 286,95 $	**51 120,80 $**	

ANNEXE 5
Bordereaux de dépôt

La Banque d'Eastman — **BORDEREAU DE DÉPÔT**

Nom du client: Boutique Image-inne inc.

Folio: 19591117

Nº d'identification de la banque	A	M	J
01959	2006	11	05

Détails additionnels	Espèces	Montant
	× 1	
	2 × 2	4,00
	4 × 5	20,00
	8 × 10	80,00
	15 × 20	300,00
	1 × 50	50,00
	×	
	Monnaie	0,19
	Total	454,19

Effets : chèques, coupons, etc.	Montant
Jean Laprise Decam	2 638,51
Traité par :	
Référence :	
Total partiel	3 092,70
D-87 Moins : espèces reçues	
Dépôt net	3 092,70

Signature du déposant	Paraphe du préposé
Annie Magellan	

La Banque d'Eastman — **BORDEREAU DE DÉPÔT**

Nom du client : Boutique Image-inne inc.

Folio : 19591117

Nº d'identification de la banque	A	M	J
01959	2006	11	12

Détails additionnels	Espèces	Montant
	1 × 1	1,00
	1 × 2	2,00
	17 × 5	85,00
	1 × 10	10,00
	23 × 20	460,00
	3 × 50	150,00
	×	
	Monnaie	0,10
	Total	708,10

Effets : chèques, coupons, etc.	Montant
Musée de la souveraineté	638,00
Imbault, Vandal	4 293,20
Total partiel	5 639,30
Moins : espèces reçues	
Dépôt net	5 639,30

Traité par :

Référence :

D-88

Signature du déposant	Paraphe du préposé
Annie Magellan	

La Banque d'Eastman — **BORDEREAU DE DÉPÔT**

Nom du client : Boutique Image-inne inc.

Folio : 19591117

Nº d'identification de la banque	A	M	J
01959	2006	11	19

Détails additionnels	Espèces	Montant
	1 × 1	1,00
	5 × 2	10,00
	8 × 5	40,00
	19 × 10	190,00
	20 × 20	400,00
	2 × 50	100,00
	×	
	Monnaie	0,84
	Total	741,84

Effets : chèques, coupons, etc.	Montant
Jean Laprise Decam	1 724,79
Présentations visuelles Roussel inc.	100,00
Plouffe & Cournoyer	2 201,35
Total partiel	4 767,98
Moins : espèces reçues	
Dépôt net	4 767,98

Traité par :

Référence :

D-89

Signature du déposant	Paraphe du préposé
Annie Magellan	

La Banque d'Eastman — **BORDEREAU DE DÉPÔT**

Nom du client *Boutique Image-inne inc.*

Folio *19591117*

Nº d'identification de la banque	A	M	J
01959	2006	11	25

Détails additionnels	Espèces	Montant
	1 × 1	1,00
	10 × 2	20,00
	18 × 5	90,00
	10 × 10	100,00
	15 × 20	300,00
	× 50	
	×	
	Monnaie	0,07
	Total	511,07

Effets : chèques, coupons, etc.	Montant
France Naud (comptoir)	87,44
Neige Guay (comptoir)	101,31
Total partiel	699,82
Moins : espèces reçues	
Dépôt net	699,82

Traité par :

Référence :

D-90

Signature du déposant	Paraphe du préposé
Annie Magellan	

La Banque d'Eastman — **BORDEREAU DE DÉPÔT**

Nom du client *Boutique Image-inne inc.*

Folio *19591117*

Nº d'identification de la banque	A	M	J
01959	2006	12	01

Détails additionnels	Espèces	Montant
	× 1	
	7 × 2	14,00
	3 × 5	15,00
	8 × 10	80,00
	7 × 20	140,00
	1 × 50	50,00
	×	
	Monnaie	0,42
	Total	299,42

Effets : chèques, coupons, etc.	Montant
Total partiel	299,42
Moins : espèces reçues	
Dépôt net	299,42

Traité par :

Référence :

D-91

Signature du déposant	Paraphe du préposé
Annie Magellan	

La Banque d'Eastman — **BORDEREAU DE DÉPÔT**

Nom du client	Boutique Image-inne inc.	
Folio	19591117	
Nº d'identification de la banque: 01959		A M J: 2006 12 09
Détails additionnels	**Espèces**	**Montant**
	22 × 1	22,00
	20 × 2	40,00
	24 × 5	120,00
	36 × 10	360,00
	23 × 20	460,00
	× 50	
	×	
	Monnaie	0,21
	Total	1 002,21
Effets : chèques, coupons, etc.		**Montant**
E. Kedl (vente comptant)		404,77
Laflamme & Brûlé		1 921,64
Musée de la souveraineté		781,06
Paul Payeur		575,13
Présentations v. Roussel		349,81
Jean Laprise Decam		891,64
	Total partiel	5 926,26
D-92	Moins : espèces reçues	
	Dépôt net	5 926,26
Signature du déposant: Annie Magellan	Paraphe du préposé	

Traité par :

Référence :

La Banque d'Eastman — **BORDEREAU DE DÉPÔT**

Nom du client	Boutique Image-inne inc.	
Folio	19591117	
Nº d'identification de la banque: 01959		A M J: 2006 12 17
Détails additionnels	**Espèces**	**Montant**
	5 × 1	5,00
	10 × 2	20,00
	3 × 5	15,00
	8 × 10	80,00
	24 × 20	480,00
	2 × 50	100,00
	×	
	Monnaie	
	Total	700,00
Effets : chèques, coupons, etc.		**Montant**
Mona Lisa (comptant)		238,77
	Total partiel	938,77
D-93	Moins : espèces reçues	
	Dépôt net	938,77
Signature du déposant: Annie Magellan	Paraphe du préposé	

Traité par :

Référence :

La Banque d'Eastman — **BORDEREAU DE DÉPÔT**

Nom du client : Boutique Image-inne inc.

Folio : 19591117

Nº d'identification de la banque	A	M	J
01959	2006	12	24

Détails additionnels	Espèces	Montant
	32 × 1	32,00
	35 × 2	70,00
	15 × 5	75,00
	21 × 10	210,00
	34 × 20	680,00
	9 × 50	450,00
	×	
	Monnaie	0,10
	Total	1 517,10

Effets : chèques, coupons, etc.	Montant
Noël Cadeau	309,56
France Naud	312,66
Neige Livernois	482,11
N.B. : 3 clients comptoir	
Total partiel	2 621,43
Moins : espèces reçues	
Dépôt net	2 621,43

Traité par :
Référence :

D-94

Signature du déposant : Annie Magellan

Paraphe du préposé :

La Banque d'Eastman — **BORDEREAU DE DÉPÔT**

Nom du client : Boutique Image-inne inc.

Folio : 19591117

Nº d'identification de la banque	A	M	J
01959	2007	01	02

Détails additionnels	Espèces	Montant
	5 × 1	5,00
	14 × 2	28,00
	5 × 5	25,00
	5 × 10	50,00
	35 × 20	700,00
	2 × 50	100,00
	×	
	Monnaie	0,32
	Total	908,32

Effets : chèques, coupons, etc.	Montant
Henri Godin	178,95
Marie Giguère	195,31
N.B. : 2 clients comptoir	
Total partiel	1 282,58
Moins : espèces reçues	
Dépôt net	1 282,58

Traité par :
Référence :

D-95

Signature du déposant : Annie Magellan

Paraphe du préposé :

La Banque d'Eastman — **BORDEREAU DE DÉPÔT**

Nom du client	Boutique Image-inne inc.	
Folio	19591117	
Nº d'identification de la banque 01959		A M J 2007 01 07

Détails additionnels	Espèces	Montant
	7 × 1	7,00
	20 × 2	40,00
	5 × 5	25,00
	5 × 10	50,00
	31 × 20	620,00
	× 50	
	×	
	Monnaie	0,71
	Total	742,71

Effets : chèques, coupons, etc.	Montant
Ass. des résidents du lac Memphrémagog	404,89
Musée de la souveraineté	15,94
Jean Laprise Decam	55,79
Imbault, Vandal	1 926,88
Total partiel	3 146,21
Moins : espèces reçues	
Dépôt net	3 146,21

Traité par :
Référence :

D-96

Signature du déposant	Paraphe du préposé
Annie Magellan	

La Banque d'Eastman — **BORDEREAU DE DÉPÔT**

Nom du client	Boutique Image-inne inc.	
Folio	19591117	
Nº d'identification de la banque 01959		A M J 2007 01 14

Détails additionnels	Espèces	Montant
	3 × 1	3,00
	5 × 2	10,00
	12 × 5	60,00
	7 × 10	70,00
	16 × 20	320,00
	× 50	
	×	
	Monnaie	0,73
	Total	463,73

Effets : chèques, coupons, etc.	Montant
Eugène Cliche	202,13
N.B. : client comptoir	
Total partiel	665,86
Moins : espèces reçues	
Dépôt net	665,86

Traité par :
Référence :

D-97

Signature du déposant	Paraphe du préposé
Annie Magellan	

La Banque d'Eastman — **BORDEREAU DE DÉPÔT**

Nom du client : Boutique Image-inne inc.

Folio : 19591117

Nº d'identification de la banque	A	M	J
01959	2007	01	21

Détails additionnels	Espèces	Montant
	6 × 1	6,00
	10 × 2	20,00
	15 × 5	75,00
	14 × 10	140,00
	18 × 20	360,00
	× 50	
	×	
	Monnaie	0,70
	Total	601,70

Effets : chèques, coupons, etc.	Montant
Total partiel	601,70
Moins : espèces reçues	
Dépôt net	601,70

Traité par :

Référence :

D-98

Signature du déposant	Paraphe du préposé
Annie Magellan	

La Banque d'Eastman — **BORDEREAU DE DÉPÔT**

Nom du client : Boutique Image-inne inc.

Folio : 19591117

Nº d'identification de la banque	A	M	J
01959	2007	01	25

Détails additionnels	Espèces	Montant
	× 1	
	× 2	
	× 5	
	× 10	
	× 20	
	× 50	
	×	
	Monnaie	
	Total	

Effets : chèques, coupons, etc.	Montant
Présentations visuelles Roussel inc.	1 921,64
Musée de la souveraineté	529,20
Total partiel	2 450,84
Moins : espèces reçues	
Dépôt net	2 450,84

Traité par :

Référence :

D-99

Signature du déposant	Paraphe du préposé
Annie Magellan	

La Banque d'Eastman

BORDEREAU DE DÉPÔT

Nom du client *Boutique Image-inne inc.*

Folio *19591117*

Nº d'identification de la banque	A M J
01959	*2007 01 28*

Détails additionnels	Espèces	Montant
	1 × 1	*1,00*
	15 × 2	*30,00*
	1 × 5	*5,00*
	6 × 10	*60,00*
	5 × 20	*100,00*
	× 50	
	×	
	Monnaie	*0,93*
	Total	*196,93*

Effets : chèques, coupons, etc.	Montant
Total partiel	*196,93*
Moins : espèces reçues	
Dépôt net	*196,93*

Traité par :

Référence :

D-100

Signature du déposant	Paraphe du préposé
Annie Magellan	

La Banque d'Eastman

BORDEREAU DE DÉPÔT

Nom du client *Boutique Image-inne inc.*

Folio *19591117*

Nº d'identification de la banque	A M J
01959	*2007 02 01*

Détails additionnels	Espèces	Montant
	5 × 1	*5,00*
	14 × 2	*28,00*
	5 × 5	*25,00*
	5 × 10	*50,00*
	35 × 20	*700,00*
	2 × 50	*100,00*
	×	
	Monnaie	*0,32*
	Total	*449,98*

Effets : chèques, coupons, etc.	Montant
Ministère du Revenu	*286,09*
(TPS — TVQ novembre)	
Total partiel	*736,07*
Moins : espèces reçues	
Dépôt net	*736,07*

Traité par :

Référence :

D-101

Signature du déposant	Paraphe du préposé
Annie Magellan	

La Banque d'Eastman — **BORDEREAU DE DÉPÔT**

Nom du client *Boutique Image-inne inc.*

Folio *19591117*

Nº d'identification de la banque	A M J
01959	*2007 02 04*

Détails additionnels	Espèces	Montant
	× 1	
	× 2	
	× 5	
	× 10	
	× 20	
	× 50	
	×	
	Monnaie	
	Total	

Effets : chèques, coupons, etc.	Montant
École de pilotage Morand-Vollant	*6 124,68*
Imbault, Vandal	*1 880,65*
Total partiel	*8 005,33*
Moins : espèces reçues	
Dépôt net	*8 005,33*

Traité par :

Référence :

D-102

Signature du déposant	Paraphe du préposé
Annie Magellan	

La Banque d'Eastman — **BORDEREAU DE DÉPÔT**

Nom du client *Boutique Image-inne inc.*

Folio *19591117*

Nº d'identification de la banque	A M J
01959	*2007 02 11*

Détails additionnels	Espèces	Montant
	8 × 1	*8,00*
	5 × 2	*10,00*
	5 × 5	*25,00*
	7 × 10	*70,00*
	16 × 20	*320,00*
	2 × 50	*100,00*
	×	
	Monnaie	*0,25*
	Total	*533,25*

Effets : chèques, coupons, etc.	Montant
Marc Cinq-Mars	*114,97*
(client comptoir)	
Total partiel	*648,22*
Moins : espèces reçues	
Dépôt net	*648,22*

Traité par :

Référence :

D-103

Signature du déposant	Paraphe du préposé
Annie Magellan	

La Banque d'Eastman — **BORDEREAU DE DÉPÔT**

Nom du client : Boutique Image-inne inc.

Folio : 19591117

Nº d'identification de la banque	A	M	J
01959	2007	02	18

Détails additionnels	Espèces	Montant
	12 × 1	12,00
	20 × 2	40,00
	8 × 5	40,00
	9 × 10	90,00
	22 × 20	440,00
	5 × 50	250,00
	3 × 100	300,00
	Monnaie	0,21
	Total	1 172,21

Effets : chèques, coupons, etc.	Montant
Plouffe & Cournoyer	1 884,75
Total partiel	3 056,96
Moins : espèces reçues	
Dépôt net	3 056,96

Traité par :
Référence :

D-104

Signature du déposant	Paraphe du préposé
Annie Magellan	

La Banque d'Eastman — **BORDEREAU DE DÉPÔT**

Nom du client : Boutique Image-inne inc.

Folio : 19591117

Nº d'identification de la banque	A	M	J
01959	2007	02	26

Détails additionnels	Espèces	Montant
	3 × 1	3,00
	5 × 2	10,00
	6 × 5	30,00
	9 × 10	90,00
	19 × 20	380,00
	4 × 50	200,00
	×	
	Monnaie	0,84
	Total	713,84

Effets : chèques, coupons, etc.	Montant
Boutique Image-inne inc.	4 500,00
(transfert banque BCB)	
Alain Boutin	310,30
Réal Jobin	220,90
N.B. : 2 clients comptoir	
Total partiel	5 745,04
Moins : espèces reçues	
Dépôt net	5 745,04

Traité par :
Référence :

D-105

Signature du déposant	Paraphe du préposé
Annie Magellan	

Cette section comprend, présentées dans l'ordre chronologique, les pièces justificatives suivantes :

- **Avis de débit**
- **Comptes de dépenses**
- **Déclaration des salaires — CSST**
- **Entente de service**
- **Factures**
- **Notes de crédit**
- **Rapport de petite caisse**
- **Relevés de transaction**
- **Sommaire de compte — CSST (*verso* Avis de cotisation)**
- **Traite bancaire**

Kadok ltée
3535, rue de l'Église
Eastman (Québec)
G2F 0T0

C'est Kadok ou rien…

Vendu à :
Boutique Image-inne inc.
44, 1re Avenue
Eastman (Québec)
G2F 0T0

Conditions :
2/10 net 30 jours « FDM »

Nº client	Nº facture	Vendeur	Expédié	Date
323 1017	2006-81332	Adolpho Thomassin	03/11/06	02/11/06

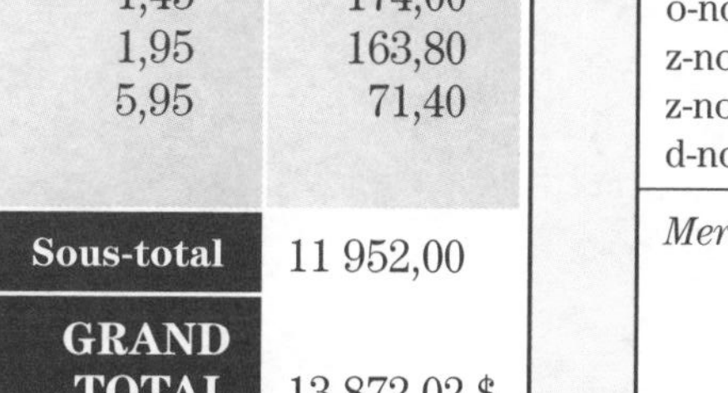

Produit	Quantité	Prix unitaire	Montant
au-kad-p	10	98,00	980,00 $
na-kad-n3	20	195,00	3 900,00
na-kad-n2	20	175,00	3 500,00
na-kad-n1	20	145,00	2 900,00
f-kad-25	36	2,45	88,20
f-kad-64	36	1,95	70,20
f-kad-100	72	1,45	104,40
f-kad-200	120	1,45	174,00
f-kad-400	84	1,95	163,80
dn-kad	12	5,95	71,40
		Sous-total	11 952,00

Traité par :
Référence :
Payé le :
Chèque nº :

Transport	Total	TPS : 7 %	TVQ : 7,5 %	GRAND TOTAL
108,00	12 060,00	844,20	967,82	13 872,02 $

Merci de nous faire confiance !

Nº de facture 301 mm 612
Nº de client 323 1017

2117, 4e Avenue, Gatineau (Québec) P0Z 1C1

Client : Boutique Image-inne inc.
44, 1re Avenue
Eastman (Québec)
G2F 0T0

Date : 8 novembre 2006
Vendeur : F. Cokin
Date de livraison : 9 novembre 2006
Conditions : 1/15 net 30 jours « FDM »

Produit	Quantité	Prix unitaire	Prix total
rf-nok-2s	3	149,00	447,00 $
rf-nok-4x	3	242,00	726,00
au-nok-l	7	110,00	770,00
nr-nok-ss	5	495,00	2 475,00
nr-nok-pr	3	835,00	2 505,00
na-nok-x2	5	250,00	1 250,00
na-nok-x4	5	295,00	1 475,00
na-nok-x6	5	350,00	1 750,00
o-nok-18	3	445,00	1 335,00
o-nok-35	5	135,00	675,00
o-nok-50	5	125,00	625,00
o-nok-135	5	185,00	925,00
o-nok-500	2	495,00	990,00
o-nok-1000	2	1 025,00	2 050,00
z-nok-35-120	3	245,00	735,00
z-nok-80-200	3	295,00	885,00
d-nok-2x	5	125,00	625,00

Traité par :
Référence :
Payé le :
Chèque nº :

Merci de nous faire confiance !

Sous-total	20 243,00
Transport	285,00
Total	20 528,00
Taxe fédérale (TPS 7 %)	1 436,96
Taxe provinciale (TVQ 7,5 %)	1 647,37
Grand total	23 612,33 $

ENTENTE DE SERVICE	
Entre (le fournisseur):	Info concept inc. Place des affaires, bureau 123 Magog (Québec) D1X 0I0
Représenté par:	M. Bill Page Webb
Et (le client):	Mme Annie Magellan
Faisant des affaires sous le nom de:	Boutique Image-inne inc. 44, 1re Avenue Eastman (Québec) G2F 0T0

Objet du contrat (obligations du fournisseur):

Le fournisseur s'engage à créer un site Internet de catégorie A4 conformément à son prospectus de l'année en cours. Il s'engage de plus à héberger et à entretenir ledit site pour une période de deux (2) ans à compter du 15 novembre 2006.

Si le fournisseur désire mettre fin à l'entente avant la fin du contrat, il doit en aviser, par écrit, le client au moins trois (3) mois avant la date où il désire cesser son offre de service. De plus, le fournisseur devra céder au client tous les droits d'auteur relatifs au site créé ainsi que les outils techniques nécessaires à son exploitation (fichiers informatisés, documentation technique, etc.).

Modalités de paiement (obligations du client):

Le client s'engage à payer mensuellement au fournisseur la somme de cent quatre-vingt-dix-neuf dollars (199 $), plus les taxes de vente en vigueur. Le paiement devra être versé le premier jour de la période de location au moyen d'un virement bancaire préautorisé.

Le client s'engage à respecter les conditions du présent contrat. S'il désire mettre fin audit contrat, il doit en aviser, par écrit, le fournisseur au moins trente (30) jours avant la date où il ne désire plus utiliser ses services. Dans un tel cas, le client devra dédommager le fournisseur en lui versant soixante pour cent (60 %) des sommes impayées en vertu du présent contrat.

Signé à Eastman en ce 8e jour de novembre de l'an 2006.

Annie Magellan
Annie Magellan

Bill Page Webb
Bill Page Webb

Tomran Ltd.
11442, Queen Street
Vancouver, British Columbia
T0M 1S0

Customer:
Boutique Image-inne inc.
44, 1re Avenue
Eastman (Québec)
G2F 0T0

Customer number: CQ 4450
Invoice number: 54901
Invoice date: November 10, 2006
Salesman: Tom Ranwick
Shipping date: November 14, 2006
Conditions: 2/10 net 30 days « EOM »

PRODUCT	UNIT	PRICE	TOTAL PRICE
o-tom-18	3	295.00	$ 885.00
o-tom-35	5	90.00	450.00
o-tom-50	5	80.00	400.00
o-tom-135	5	120.00	600.00
o-tom-500	3	325.00	975.00
o-tom-1000	2	645.00	1,290.00
z-tom-35-125	6	195.00	1,170.00
z-tom-80-200	6	225.00	1,350.00
d-tom-2x	5	75.00	375.00
b-tom-nok	20	25.00	500.00

Traité par :
Référence :

Payé le :
Chèque n° :

Pas de taxe provinciale

Sub-total	7,995.00
Shipping & handling	205.00
Total	8,200.00
Federal taxes (GST 7 %)	574.00
Provincial taxes (PST 8 %)	0.00
Invoice total	**$ 8,774.00**

Thanks to make business with us!

Vavatir Canada Ltd.
8633, Holland Avenue
Cornwall, Ontario
N0T 1R4

You got the idea, we got the flash!

Customer:
Boutique Image-inne inc.
44, 1re Avenue
Eastman (Québec)
G2F 0T0

Invoice date : November 11, 2006

Salesman: John F. Lashman
Shipping date: November 14, 2006
Conditions: 2/10 net 30 days « EOM »

Product	Unit	Price	Total price
f-vav-185	12	46.00	$ 552.00
f-vav-285	12	96.00	1,152.00
f-vav-485	12	146.00	1,752.00
t-vav-286	18	29.00	522.00
t-vav-486	18	99.00	1,782.00
m-vav-486	12	54.00	648.00

Traité par :
Référence :

Payé le :
Chèque n° :

Thanks to make business with us!

Sub-total	6,408.00
Shipping & handling	92.00
Total	6,500.00
Federal taxes (GST 7 %)	455.00
Provincial taxes (PST 8 %)	0.00
Invoice total	**$ 6,955.00**

Invoice number: K-911265
Customer number: E-33487

CONTACT RÉSEAU-PUB INC.
Courtier en publicité virtuelle
605, 1re Avenue, Eastman (Québec) G2F 0T0

Nº de client : 323 1017
Boutique Image-inne inc.
44, 1re Avenue
Eastman (Québec)
G2F 0T0

Date : 14 novembre 2006
Vendeur : Welly Ward Welsh
Date de livraison : Novembre 2006
Conditions : Net 30 jours
Nº de facture : 2466

Du 1er décembre 2006 au 30 novembre 2007

Renseignements importants à retenir

Portails (liens dynamiques) sur votre site Internet : Kadok, Fidju, Nokin, Vavatir, Tomran, Studio Image-inne	875,00 $
Portails (liens dynamiques) vers votre site Internet : Association des photographes professionnels du Québec, Association des photographes amateurs de la Montérégie	325,00
Total	1 200,00
TPS (7 %)	84,00
TVQ (7,5 %)	96,30
Grand Total	1 380,30 $

Merci de me faire confiance !

---

l'HEBDO d'Eastman
Un journal pour les gens D'ici

L'hebdo d'Eastman
222, 1re Avenue
Eastman (Québec)
G2F 0T0

Payé le :
Chèque nº :

Nº de facture : P-5133
Date : 14 novembre 2006
Vendeur : Émond Journault
Nº de client : I-944
Boutique Image-inne inc.
44, 1re Avenue
Eastman (Québec)
G2F 0T0

Date de livraison : Novembre-décembre 2006
Conditions : Net 30 jours

FACTURE	
Annonce publicitaire ½ page dans l'hebdomadaire municipal des 12, 19 et 26 novembre et des 3, 10 et 17 décembre (6 parutions à 280 $ chacune)	1 680,00 $
Annonce publicitaire « Semaine du Boxing Day » d'une page dans l'hebdomadaire municipal du 24 décembre	500,00
Total	2 180,00 $
Taxe fédérale (TPS 7 %)	152,60
Taxe provinciale (TVQ 7,5 %)	174,95
GRAND TOTAL	2 507,55 $

Traité par :
Référence :

Merci !

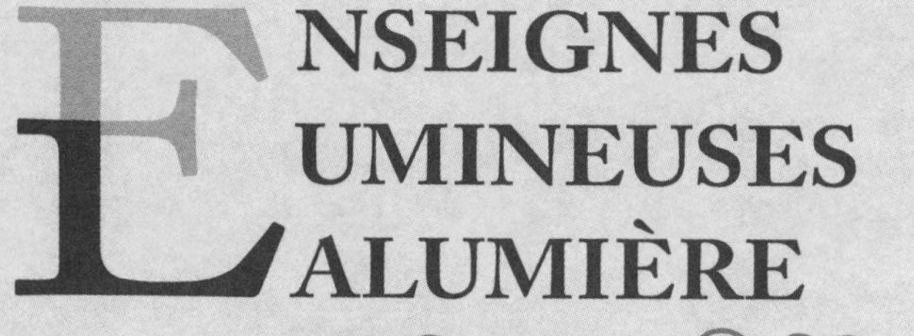

NSEIGNES
UMINEUSES
ALUMIÈRE

110, rue Watt
Eastman (Québec)
G2F 0T0

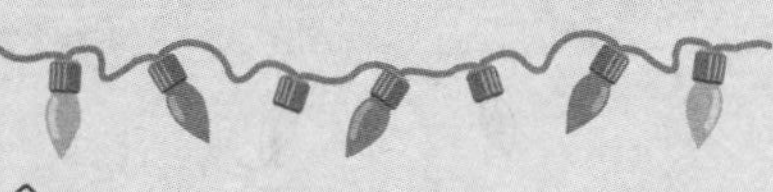

Être vu, c'est être connu!

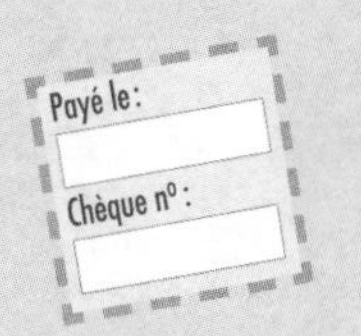

Numéro de client : Ea-1rue-44
Boutique Image-inne inc.
44, 1re Avenue
Eastman (Québec)
G2F 0T0

Numéro de la facture :	4266
Date de la facture :	24 novembre 2006
Vendeur :	Louis Leclerc
Date de livraison :	24 novembre 2006

Enseigne extérieure lumineuse 3 × 2,5 mètres	
Enseigne	1 395,00 $
Installation et électricité	345,00

Nous garantissons que l'enseigne ainsi que son installation sont conformes aux normes municipales en vigueur.

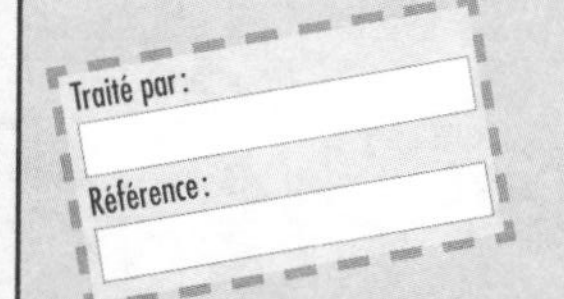

Total	1 740,00
Taxe fédérale (TPS 7 %)	121,80
Taxe provinciale (TVQ 7,5 %)	139,64
Grand total	2 001,44 $

Conditions : Net 30 jours

Merci de nous faire confiance !

Promotion Bellevue inc.
345, côte Bellevue
Eastman (Québec)
G2F 0T0

Promotion Bellevue inc

Pour être bien en vue !

Payé le :
Chèque nº :

Client :

Boutique Image-inne inc.
44, 1re Avenue
Eastman (Québec)
G2F 0T0

Numéro du client :	323-1017
Numéro de la facture :	6701
Date de la facture :	25 novembre 2006

Vendeur :	**Date de la livraison :**	**Conditions :** *(voir note au bas)*
Voyer-Lavoie, Claire	26 novembre 2006	2/15 net 30 jours

Courroies personnalisées pour appareils photo au nom de :
Boutique Image-inne inc.
1 000 courroies à 4,95 $ chacune — 4 950,00 $

Les courroies n'ont pas été achetées pour être revendues.
Elles seront données à des fins promotionnelles.

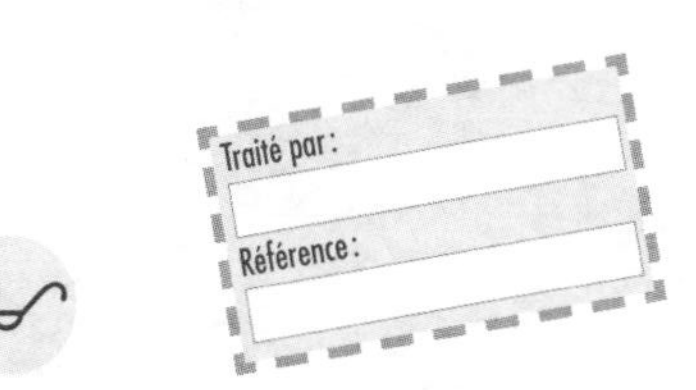

Total	4 950,00
TPS (7 %)	346,50
TVQ (7,5 %)	397,24
Grand total	5 693,74 $

Notez : *Conditions :* Escompte calculé avant les taxes.

Merci !

BOUTIQUE IMAGE-INNE INC.

BILL

Numéro de compte : **819 323 1017** (702)
Date de facturation : **28 novembre 2006**

9323 1017 70201 005

Sommaire du compte

Mois précédent	Solde antérieur	331,09 $
	Paiement reçu — Merci	331,09
	Rectifications	,00
	Solde reporté	**,00 $**
Mois courant	Services mensuels (28 nov. au 27 déc.)	166,84 $
	Pages jaunes	72,00
	Communications facturées	51,17
	TPS 100356987	20,30
	TVQ 1001237654	23,27
	Total du mois courant	**333,58 $**

Payé le :
Chèque nº :

Montant total dû **333,58 $**

S'il vous plaît, veuillez acquitter ce compte dès réception. Pour éviter tout supplément de retard, veuillez vous assurer que votre paiement nous parviendra au plus tard le 28 décembre 2006.

✂ -

BILL

Numéro de compte	Date de facturation	Montant dû	Montant versé
819-323-1017	2006 11 28	333,58 $	

Traité par :
Référence :

Boutique Image-inne inc.
44, 1re Avenue
Eastman (Québec)
G2F 0T0

COMPTE DE DÉPENSES De : **Annie Magellan**

Boutique Image-inne inc.
44, 1re Avenue
Eastman (Québec)
G2F 0T0
Tél. : (819) 323-1017

Pour la période du *1er novembre 2006* au *30 novembre 2006*

Date	Nom	Explication	Prix	TPS	TVP	Total
3	Restaurant Chez Micheline	Avec représentant de Vavatir	60,86	3,79	4,35	69,00
5	Quincaillerie Eastman	Matériel d'entretien	29,95	2,10	2,40	34,45
14	Le marché aux puces inc.	Rubans et poudre pour imprimante	45,99	3,22	3,69	52,90
30	Kilomètres	455 km à 40¢/km	158,22	11,08	12,70	182,00
Approuvé par : *Denis Magellan*			295,02	20,19	23,14	338,35
Signé par : *Annie Magellan*						

Rappelons que la TPS et la TVQ ne peuvent être récupérées que dans une proportion de 50 % lorsque l'intrant est un repas.

Traité par :
Référence :

Entretien ménager Lenet
500, 2e Avenue
Eastman (Québec)
G2F 0T0

Client :

Boutique Image-inne inc.
44, 1re Avenue
Eastman (Québec)
G2F 0T0

Numéro du client :	323 1017
Numéro de la facture :	2146
Date de la facture :	1er décembre 2006
Date de livraison :	Octobre, novembre 2006
Conditions :	Net 30 jours
Nom du vendeur :	Tommy Labrosse

Entretien ménager des mois d'octobre et novembre 2006 :

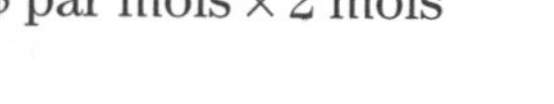

200 $ par mois × 2 mois	400,00 $

Il est important de noter que la facturation de ce fournisseur est bimensuelle.

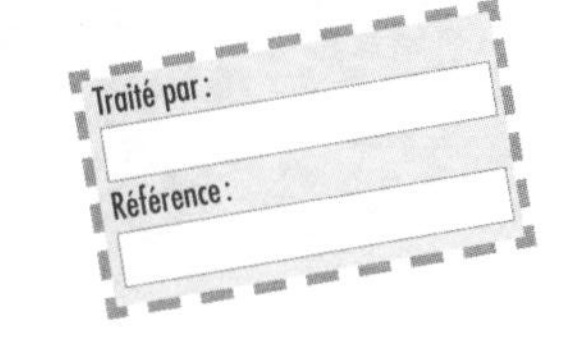

Total	400,00
Taxe fédérale (TPS 7 %)	28,00
Taxe provinciale (TVQ 7,5 %)	32,10
Total	460,10 $

Merci de nous faire confiance !

Kadok ltée
3535, rue de l'Église
Eastman (Québec)
G2F 0T0

C'est Kadok ou rien…

Vendu à :
Boutique Image-inne inc.
44, 1re Avenue
Eastman (Québec)
G2F 0T0

Conditions :
2/10 net 30 jours « FDM »

Nº client	Nº facture	Vendeur	Expédié	Date
323 1017	2006-81837	Adolpho Thomassin	04/12/06	01/12/06

Produit	Quantité	Prix unitaire	Montant
au-kad-p	4	98,00	392,00 $
na-kad-n3	10	195,00	1 950,00
na-kad-n2	20	175,00	3 500,00
na-kad-n1	25	145,00	3 625,00
f-kad-25	36	2,45	88,20
f-kad-64	48	1,95	93,60
f-kad-100	144	1,45	208,80
f-kad-200	120	1,45	174,00
f-kad-400	108	1,95	210,60
dn-kad	12	5,95	71,40

Traité par :
Référence :
Payé le :
Chèque nº :

				Sous-total	10 313,60
Transport	**Total**	**TPS : 7 %**	**TVQ : 7,5 %**	**GRAND TOTAL**	
91,40	10 405,00	728,35	835,00		11 968,35 $

Merci de nous faire confiance !

Kadok of America Ltd.

Kadok of America Ltd.
78652, Nixon Blvd.
Chicago, Ill.
05636

It's Kadok or nothing !

Payé le :
Chèque n° :

Customer :
Boutique Image-inne inc.
44, 1re Avenue
Eastman (Québec)
G2F 0T0

Conditions :
Net 30 days

Customer N°	Invoice N°	Salesman	Shipping date	Invoice date
CAN-323-1017	2006-4563210	Julia Mitchell	Nov. 24, 2006	Dec. 1, 2006

Product	Unit	Price	Total price
Slide Projector Kadok PP485	1	120.00	$ 120.00

Traité par :
Référence :

facture en dollars américains

Shipping & handling	Total	Sales taxes	Sub-total	120.00
25.00	145.00	0.00	INVOICE TOTAL	$ 145.00

Thanks to make business with us!

Promotion Bellevue inc.
345, côte Bellevue
Eastman (Québec)
G2F 0T0

Promotion Bellevue inc

Pour être bien en vue!

Payé le :
Chèque n° :

Client :

Boutique Image-inne inc.
44, 1re Avenue
Eastman (Québec)
G2F 0T0

Numéro du client : 323-1017
Numéro de la facture : 6789
Date de la facture : 5 décembre 2006

Vendeur :	Date de la livraison :	Conditions : (*voir note au bas*)
Voyer-Lavoie, Claire	26 novembre 2006	2/15 net 30 jours

NOTE DE CRÉDIT

Crédit sur :
Courroies personnalisées pour appareils photo au nom de :
Boutique Image-inne inc.
1 000 courroies à 45 ¢ chacune −450,00 $

Référence : Facture 6701, mauvaise couleur de courroies.

Traité par :
Référence :

Total	−450,00
TPS (7 %)	−31,50
TVQ (7,5 %)	−36,11
Grand total	−517,61 $

Notez : *Conditions :* Escompte calculé avant les taxes.

Merci !

Nº de facture
302 mm 144
Nº de client
323 1017

2117, 4e Avenue, Gatineau (Québec) P0Z 1C1

Client : Boutique Image-inne inc.
44, 1re Avenue
Eastman (Québec)
G2F 0T0

Date : 6 décembre 2006
Vendeur : F. Cokin
Date de livraison : 7 décembre 2006
Conditions : 1/15 net 30 jours « FDM »

Produit	Quantité	Prix unitaire	Prix total
rf-nok-2s	2	149,00	298,00 $
rf-nok-4x	5	242,00	1 210,00
na-nok-x2	10	250,00	2 500,00
na-nok-x4	10	295,00	2 950,00
na-nok-x6	10	350,00	3 500,00
o-nok-18	4	445,00	1 780,00
o-nok-35	4	135,00	540,00
o-nok-50	4	125,00	500,00
o-nok-135	4	185,00	740,00
o-nok-500	4	495,00	1 980,00
o-nok-1000	2	1 025,00	2 050,00
z-nok-35-120	5	245,00	1 225,00
z-nok-80-200	5	295,00	1 475,00
d-nok-2x	2	125,00	250,00

Traité par :
Référence :

Payé le :
Chèque nº :

Merci de nous faire confiance !	**Sous-total**	20 998,00
	Transport	315,00
	Total	21 313,00
	Taxe fédérale (TPS 7 %)	1 491,91
	Taxe provinciale (TVQ 7,5 %)	1 710,37
	Grand total	24 515,28 $

Tomran Ltd.
11442, Queen Street
Vancouver, British Columbia
T0M 1S0

The universal one… and only!

Customer :
Boutique Image-inne inc.
44, 1re Avenue
Eastman (Québec)
G2F 0T0

Customer number : CQ 4450
Invoice number : 55644
Invoice date : December 8, 2006
Salesman : Tom Ranwick
Shipping date : December 12, 2006
Conditions : 2/10 net 30 days « EOM »

PRODUCT	UNIT	PRICE	TOTAL PRICE
o-tom-18	7	295.00	$ 2,065.00
o-tom-35	7	90.00	630.00
o-tom-50	3	80.00	240.00
o-tom-135	7	120.00	840.00
o-tom-500	3	325.00	975.00
o-tom-1000	3	645.00	1,935.00
z-tom-35-125	7	195.00	1,365.00
z-tom-80-200	7	225.00	1,575.00
d-tom-2x	3	75.00	225.00
b-tom-nok	20	25.00	500.00

Traité par :
Référence :

Payé le :
Chèque nº :

Sub-total	10,350.00
Shipping & handling	250.00
Total	10,600.00
Federal taxes (GST 7 %)	742.00
Provincial taxes (PST 8 %)	0.00
Invoice total	**$ 11,342.00**

Thanks to make business with us!

Vavatir Canada Ltd.
8633, Holland Avenue
Cornwall, Ontario
N0T 1R4

You got the idea, we got the flash!

Customer:
Boutique Image-inne inc.
44, 1re Avenue
Eastman (Québec)
G2F 0T0

Invoice date: December 9, 2006

Salesman: John F. Lashman
Shipping date: December 13, 2006
Conditions: 2/10 net 30 days « EOM »

Product	Unit	Price	Total price
f-vav-185	24	46.00	$ 1,104.00
f-vav-285	24	96.00	2,304.00
f-vav-485	12	146.00	1,752.00
t-vav-286	18	29.00	522.00
t-vav-486	18	99.00	1,782.00
m-vav-486	12	54.00	648.00

Traité par:
Référence:

Payé le:
Chèque n°:

Thanks to make business with us!

Sub-total	8,112.00
Shipping & handling	108.00
Total	8,220.00
Federal taxes (GST 7 %)	575.40
Provincial taxes (PST 8 %)	0.00
Invoice total	**$ 8,795.40**

Invoice number: K-911852
Customer number: E-33487

La Banque d'Eastman

AVIS DE DÉBIT À VOTRE COMPTE

N° de compte: 19591117

Veuillez noter que nous avons débité votre compte de la somme indiquée pour la raison suivante:

chèque de M. Paul Payeur retourné, compte bancaire gelé.

Traité par:
Référence:

Chèque retourné	*575,13*
Frais	*8,00*
Total	*583,13*

Approuvé par: *B.C.*

Par: *Nicole Soucy Francoeur* Préposé(e)

Date: *15 décembre 2006*

Club bureau inc.

Club bureau inc.
3587, rue Principale
Eastman (Québec)
G2F 0T0

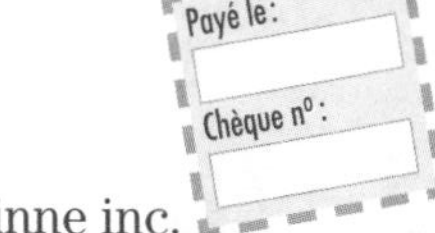

Client : 323 1017
Boutique Image-inne inc.
44, 1re Avenue
Eastman (Québec)
G2F 0T0

Numéro de la facture : 4364
Date de la facture : 18 décembre 2006
Vendeur : Louis Bureau
Date de livraison : 18 décembre 2006
Conditions : Net 10 jours « FDM »

Description	Prix
Fournitures de bureau diverses : Porte-mines (12), mines 0,5 (48), stylos à bille (24), gommes à effacer (48) Chemises de classement diverses, cartables et papeterie	576,00 $
Total	576,00 $
Taxe fédérale (TPS 7%)	40,32
Taxe provinciale (TVQ 7,5%)	46,22
Grand total	662,54 $

Traité par :
Référence :

Lemonde & Ledoux
7075, rue Principale
Granby (Québec)
Z0O 1C1

Payé le :
Chèque nº :

Client :
Boutique Image-inne inc.
44, 1re Avenue,
Eastman (Québec)
G2F 0T0

Date : 20 décembre 2006
Nº de client : 323-1017

Facture nº : 6477
Vendeur : Ledoux, Anne
Date de livraison : 24 novembre 2006
Conditions : Net 30 jours

Colis de Kadok of America Ltd. Nº I-C 659874	
Taxe fédérale (7 %) sur valeur estimative de 215,00 $CAN	15,05 $
Taxe provinciale (7,5 %) sur valeur estimative de 230,05 $CAN	17,25
Nos honoraires	22,00
Total	**54,30 $**

Notez que le poste Transport sur achat *peut être utilisé. Le libellé du compte devrait cependant être modifié pour* Fret à l'achat.

Traité par :
Référence :

Merci de nous faire confiance !

Kadok ltée

Kadok ltée
3535, rue de l'Église
Eastman (Québec)
G2F 0T0

C'est Kadok ou rien…

Vendu à :
Boutique Image-inne inc.
44, 1re Avenue
Eastman (Québec)
G2F 0T0

Conditions :
2/10 net 30 jours « FDM »

Nº client	Nº facture	Vendeur	Expédié	Date
323 1017	2006-81969	Adolpho Thomassin	23/12/06	22/12/06

Produit	Quantité	Prix unitaire	Montant
Fournitures de laboratoire :			
Papier Kadok professionnel couleur (boîte)	25		550,00 $
Papier Kadok professionnel monochrome (boîte)	2		52,00
Produit KA-X 1m (bouteille)	12		84,00
Produit KA-J 1m (bouteille)	12		84,00
Produit KA-L 1m (bouteille)	12		89,00
Produit KA-B 1m (bouteille)	12		92,00
Pinces laboratoire	12		48,00
		Sous-total	999,00

Traité par :
Référence :

Transport	Total	TPS : 7 %	TVQ : 7,5 %	GRAND TOTAL
00,00	999,00	69,93	80,17	1 149,10 $

Merci de nous faire confiance!

BOUTIQUE IMAGE-INNE INC.

BILL

Numéro de compte : **819 323 1017** (702)
Date de facturation : **28 décembre 2006**

9323 1017 70201 005

Payé le:
Chèque nº:

Sommaire du compte

Mois précédent	Solde antérieur	333,58 $
	Paiement reçu — Merci	333,58
	Rectifications	,00
	Solde reporté	**,00 $**
Mois courant	Services mensuels (28 déc. au 27 janv.)	166,84 $
	Pages jaunes	72,00
	Communications facturées	64,12
	TPS 100356987	21,21
	TVQ 1001237654	24,31
	Total du mois courant	**348,48 $**

Montant total dû **348,48 $**

S'il vous plaît, veuillez acquitter ce compte dès réception. Pour éviter tout supplément de retard, veuillez vous assurer que votre paiement nous parviendra au plus tard le 28 janvier 2007.

✂ - - - - - - - - - - - - - - - -

BILL

Numéro de compte	Date de facturation	Montant dû	Montant versé
819-323-1017	2006 12 28	348,48 $	

Traité par :
Référence :

Boutique Image-inne inc.
44, 1re Avenue
Eastman (Québec)
G2F 0T0

La Banque d'Eastman

TRAITE BANCAIRE	Nº de compte : 19591117	
Paiement à Kadok of America Ltd. de la facture nº 2006-4563210 d'une somme de 145,00 $CAN en devises US (taux 45 % : 65,25 $) Total : 145,00 + 65,25 = 210,25 $ Traité par : Référence :	Somme payée	*210,25*
	Frais	*8,00*
	Total	*218,25*
	Approuvé par : *B.C.*	
Par : *Ulrick Savard Alain* Préposé(e)	Date : *29 décembre 2006*	

Dollar Gagné,
Courtier en placements
655, 1re Avenue
Eastman (Québec)
G2F 0T0

RELEVÉ DE TRANSACTION

Client :
Boutique Image-inne inc.
44, 1re Avenue
Eastman (Québec)
G2F 0T0

Numéro du client :	D-33451
Période du relevé :	Décembre 2006
Depuis :	Décembre 2006
Conseiller :	Dollar Gagné
Solde disponible au début :	0,00 $
Solde disponible à la fin :	2 148,38 $

Date	Description	Montant
10 décembre :	ouverture du compte, dépôt	+10 000,00 $
10 décembre :	frais d'ouverture du compte	−25,00
15 décembre :	achat d'obligations de Tomran Ltd. arrivant à échéance le 15 décembre 2011, rendement 8 % annuel, intérêts composés	−5 000,00 $
18 décembre :	achat de 250 actions ordinaires de Nokin Canada ltée au prix de 10,95 $ l'action	−2 737,50
31 décembre :	honoraires de gestion	−88,00
	TPS (7 %)	−6,16
	TVQ (7,5 %)	−7,06
Intérêts quotidiens gagnés		+12,10
	Solde disponible	**2 148,38 $**

Traité par :
Référence :

Merci de me faire confiance !

COMPTE DE DÉPENSES De: **Annie Magellan**

Boutique Image-inne inc.
44, 1re Avenue
Eastman (Québec)
G2F 0T0
Tél. : (819) 323-1017

Pour la période du *1er décembre 2006* au *31 décembre 2006*

Date	Nom	Explication	Prix	TPS	TVP	Total
4	Quincaillerie Eastman	Matériaux pour vitrines (publicité)	88,85	6,22	7,13	102,20
5	Boutique à fleur de pot inc.	Fleurs pour vitrines	49,00	3,43	3,93	56,36
		Fleurs pour un client	31,00	2,17	2,49	35,66
17	Holiday's Inn	Partie de bureau	542,13	33,95	38,92	615,00
31	Kilomètres	390 km à 40¢/km	135,63	9,49	10,88	156,00
			846,61	55,26	63,35	965,22

Traité par :
Référence :

Approuvé par : *Denis Magellan*

Signé par : *Annie Magellan*

COMPTE DE DÉPENSES De: **Denis Magellan**

Boutique Image-inne inc.
44, 1re Avenue
Eastman (Québec)
G2F 0T0
Tél. : (819) 323-1017

Pour la période du *1er novembre 2006* au *31 décembre 2006*

Date	Nom	Explication	Prix	TPS	TVP	Total
Nov.						
17	Kadok ltée	Fournitures de laboratoire	98,99	6,93	7,94	113,86
29	Restaurant Chez Micheline	Représentation, client éventuel, M. Leclair	46,69	2,94	3,37	53,00
Déc.						
10	Centre de massothérapie Julie	Chèques-cadeaux pour clients (10 x 35,00 $)	350,00			350,00
31	Kilomètres	264 km à 40¢/km	91,80	6,43	7,37	105,60
			587,48	16,30	18,68	622,46

Traité par :
Référence :

Approuvé par : *Annie Magellan*

Signé par : *Denis Magellan*

RAPPORT DE PETITE CAISSE

Boutique Image-inne inc.
44, 1re Avenue
Eastman (Québec)
G2F 0T0
Tél. : (819) 323-1017

Pour la période du *1er octobre 2006* au *31 décembre 2006*

Date	Nom	Explication	Prix	TPS	TVP	Total
Oct.						
1	*Solde en caisse*	*Au début*				*100,00*
26	*Poste Canada*	*Timbres*	*52,00*	*3,64*	*4,17*	*59,81*
Nov.						
15	*Pharmacie Brunet*	*Cartes de souhaits pour clients et employés*	*12,99*	*0,91*	*1,04*	*14,94*
Déc.						
10	*Quincaillerie Eastman*	*Nouvelle serrure pour toilettes*	*18,95*	*1,33*	*1,52*	*21,80*
		Total des débours	*83,94*	*5,88*	*6,73*	*96,55*
		Solde décompté dans la petite caisse				*3,45*
Approuvé par : *Germaine Ranger*			*83,94*	*5,88*	*6,73*	*96,55*
Signé par :						

Traité par :
Référence :

Votre signature ici !

Kadok ltée
3535, rue de l'Église
Eastman (Québec)
G2F 0T0

C'est Kadok ou rien...

Vendu à :
Boutique Image-inne inc.
44, 1re Avenue
Eastman (Québec)
G2F 0T0

Conditions :
2/10 net 30 jours « FDM

Nº client	Nº facture	Vendeur	Expédié	Date
323 1017	2007-82003	Adolpho Thomassin	31/12/06	03/01/07

Produit	Quantité	Prix unitaire	Montant
au-kad-p	2	98,00	196,00 $
na-kad-n3	10	195,00	1 950,00
na-kad-n2	10	175,00	1 750,00
na-kad-n1	20	145,00	2 900,00
f-kad-25	36	2,45	88,20
f-kad-64	48	1,95	93,60
f-kad-100	108	1,45	156,60
f-kad-200	84	1,45	121,80
f-kad-400	84	1,95	163,80
dn-kad	12	5,95	71,40

Traité par :
Référence :

				Sous-total	7 491,40
Transport	**Total**	**TPS : 7 %**	**TVQ : 7,5 %**	**GRAND TOTAL**	
71,60	7 563,00	529,41	606,93		8 699,34 $

Merci de nous faire confiance !

Tomran Ltd.
11442, Queen Street
Vancouver, British Columbia
T0M 1S0

The universal one… and only!

Customer:

Boutique Image-inne inc.
44, 1re Avenue
Eastman (Québec)
G2F 0T0

Customer number: CQ 4450
Invoice number: 56202
Invoice date: January 3, 2007
Salesman: Tom Ranwick
Shipping date: January 5, 2007
Conditions: 2/10 net 30 days « EOM »

PRODUCT	UNIT	PRICE	TOTAL PRICE
o-tom-18	7	305.00	$ 2,135.00
o-tom-35	7	95.00	665.00
o-tom-135	7	125.00	875.00
o-tom-500	3	335.00	1,005.00
o-tom-1000	3	650.00	1,950.00
z-tom-35-125	7	205.00	1,435.00
z-tom-80-200	14	235.00	3,290.00
d-tom-2x	3	85.00	255.00
b-tom-nok	40	30.00	1,200.00
		Sub-total	12,810.00
		Shipping & handling	215.00
		Total	13,025.00
		Federal taxes (GST 7 %)	911.75
		Provincial taxes (PST 8 %)	0.00
		Invoice total	**$ 13,936.75**

Traité par:
Référence:

Payé le:
Chèque no:

Thanks to make business with us!

Vente et conception de formulaires

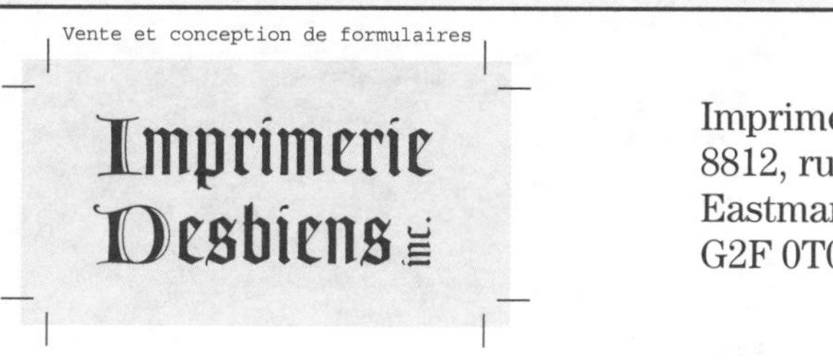

Imprimerie Desbiens inc.
8812, rue Principale
Eastman (Québec)
G2F 0T0

Payé le:
Chèque no:

Client:

Boutique Image-inne inc.
44, 1re Avenue
Eastman (Québec)
G2F 0T0

Numéro de client: 323 1017
Numéro de la facture: 366127
Date de la facture: 8 janvier 2007

Vendeur:	**Date de livraison:**	**Conditions:**
Yvan Desbiens	8 janvier 2007	Net 30 jours

Cartes d'affaires Boutique Image-inne inc. 1000 Annie Magellan, présidente 1000 Denis Magellan, secrétaire-trésorier 1000 Germaine Ranger, gérante 1000 Yvan D. Caméron, conseiller 1000 Claire Blackburn, technicienne de laboratoire	330,00 $
Sous-total	330,00
Taxe fédérale (TPS 7 %)	23,10
Taxe provinciale (TVQ 7,5 %)	26,48
Total	379,58 $

Traité par:
Référence:

Merci de nous faire confiance!

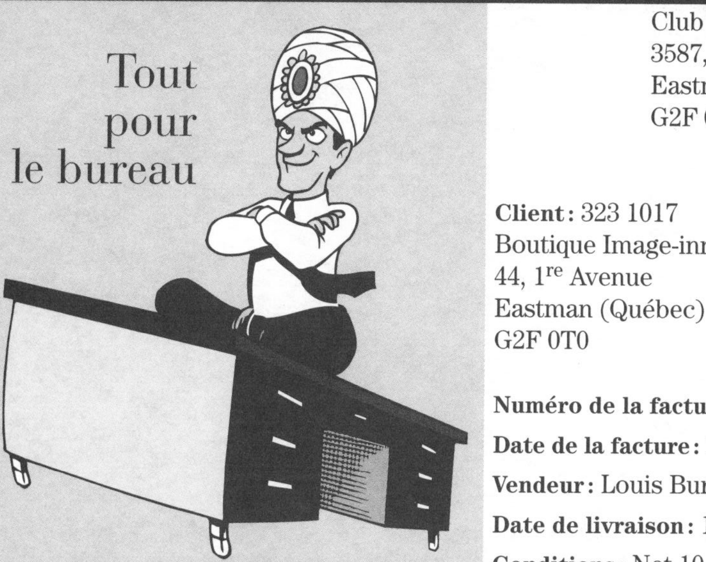

Club bureau inc.
3587, rue Principale
Eastman (Québec)
G2F 0T0

Payé le :
Chèque nº :

Client : 323 1017
Boutique Image-inne inc.
44, 1re Avenue
Eastman (Québec)
G2F 0T0

Numéro de la facture : 5114
Date de la facture : 11 janvier 2007
Vendeur : Louis Bureau
Date de livraison : 11 janvier 2007
Conditions : Net 10 jours « FDM »

Description	Prix
Système de classement *Ingénieux* pour bureau : Espaces de rangement, cloisonnette, quincaillerie d'ameublement et installation Garantie complète de 5 ans	4 205,00 $
Crédit : reprise de deux classeurs à 150,00 $ chacun	(300,00)
Total	3 905,00 $
Taxe fédérale (TPS 7%)	273,35
Taxe provinciale (TVQ 7,5%)	313,38
Grand total	4 491,73 $

Ces deux classeurs ont été achetés le 1er juillet 2005 au coût de 365,00 $ chacun.

Traité par :
Référence :

Tomran Ltd.
11442, Queen Street
Vancouver, British Columbia
T0M 1S0

The universal one… and only!

Customer :
Boutique Image-inne inc.
44, 1re Avenue
Eastman (Québec)
G2F 0T0

Customer number : CQ 4450
Invoice number : 56294
Invoice date : January 15, 2007
Salesman : Tom Ranwick
Shipping date : January 5, 2007
Conditions : 2/10 net 30 days « EOM »

Product	Unit	Price	Total price
o-tom-18	7	−10.00	$ −70.00
o-tom-35	7	−5.00	−35.00
o-tom-135	7	−5.00	−35.00
o-tom-500	3	−10.00	−30.00
o-tom-1000	3	−5.00	−15.00
z-tom-35-125	7	−10.00	−70.00
z-tom-80-200	14	−10.00	−140.00
d-tom-2x	3	−10.00	−30.00
b-tom-nok	40	−5.00	−200.00

Traité par :
Référence :
Payé le :
Chèque nº :

CREDIT NOTE on invoice Nº 56202. Prices not exact.

Sub-total	−625.00
Shipping & handling	0.00
Total	−625.00
Federal taxes (GST 7 %)	−43.75
Provincial taxes (PST 8 %)	0.00
Invoice total	**$ −668.75**

Thanks to make business with us!

Vavatir Canada Ltd.
8633, Holland Avenue
Cornwall, Ontario
N0T 1R4

You got the idea, we got the flash!

Customer:
Boutique Image-inne inc.
44, 1re Avenue
Eastman (Québec)
G2F 0T0

Invoice date: January 25, 2007

Salesman: John F. Lashman
Shipping date: January 31, 2007
Conditions: 2/10 net 30 days « EOM »

Product	Unit	Price	Total price
f-vav-185	12	48.00	$ 576.00
f-vav-285	12	98.00	1,176.00
t-vav-286	12	31.00	372.00
m-vav-486	12	56.00	672.00

Traité par :
Référence :
Payé le :
Chèque n° :

Thanks to make business with us!

Sub-total	2,796.00
Shipping & handling	34.00
Total	2,830.00
Federal taxes (GST 7 %)	198.10
Provincial taxes (PST 8 %)	0.00
Invoice total	**$ 3,028.10**

Invoice number: K-911977
Customer number: E-33487

Déclaration des salaires 2006-2007

À retourner avant le 15 mars 2007
Consultez le guide de la *Déclaration des salaires* ou le site Web (www.employeur.csst.qc.ca)

Mme Annie Magellan
Boutique Image-Inne inc.
44 1re Avenue
Eastman (Québec) G2F 0T0

Code Barre
U819467624E

Numéro d'entreprise du Québec (NEQ) : 1005547193

Nouvelle adresse	**Nouveau répondant en matière de financement**
______________________	Nom :
______________________	Numéro de téléphone :
	Fonction :

Calcul des salaires assurables versés en 2006

(en dollars seulement)

Travailleurs et administrateurs : Case « A » de l'ensemble des Relevés 1 (Revenus d'emploi et revenus divers - Revenu Québec) ····>		1		0,0
Travailleurs autonomes considérés comme des travailleurs ····>	+	2		0,0
Travailleurs bénévoles protégés ····>	+	3		0,0
Autres montants à inclure ····>	+	4		0,0
Administrateurs admissibles à la protection personnelle ····>	−	5		0,0
Autres montants à exclure ····>	−	6		0,0
Excédent ····>	−	7		0,0
Total des salaires assurables versés en 2006 ····>	=	8		0,0

Salaires assurables prévus en 2007 ····>	10		0,0

Désirez-vous protéger des travailleurs bénévoles en 2007 ? ☐ **Oui** ☐ **Non**
Si oui, veuillez remplir le formulaire approprié et nous le retourner. (Voir le guide de la *Déclaration des salaires*.)

Changements à signaler

Cochez la ou les cases appropriées et un agent communiquera avec vous, s'il y a lieu.

- ☐ **A-** Nouveau répondant ou numéro de téléphone (Remplissez la section figurant au haut de la page.)
- ☐ **B-** Nouvelle adresse (Remplissez la section figurant au haut de la page.)
- ☐ **C-** Cessation des activités ou exploitation de l'entreprise sans travailleurs — Date Année Mois Jour
- ☐ **D-** Modification du nom de l'entreprise
- ☐ **E-** Changement du statut juridique
- ☐ **F-** Faillite ou proposition concordataire
- ☐ **G-** Fusion
- ☐ **H-** Achat ou location (en totalité ou en partie)
- ☐ **I-** Vente ou location (en totalité ou en partie)
- ☐ **J-** Modification des activités

Je certifie que cette déclaration est exacte.

Nom | Prénom | Ind. rég. Téléphone | Poste | Ind. rég. Télécopieur

Signature | Fonction | Date (Année Mois Jour)

P | B | L | R

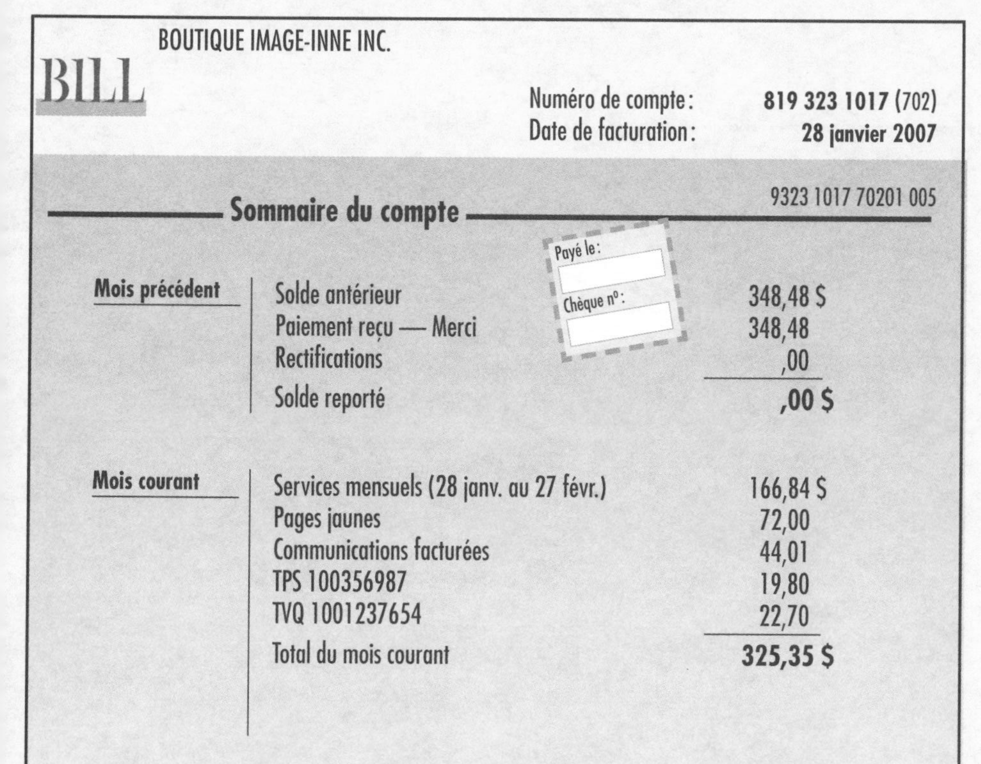

BOUTIQUE IMAGE-INNE INC.

BILL

Numéro de compte : **819 323 1017** (702)
Date de facturation : **28 janvier 2007**

9323 1017 70201 005

Sommaire du compte

Payé le :
Chèque n° :

Mois précédent	Solde antérieur	348,48 $
	Paiement reçu — Merci	348,48
	Rectifications	,00
	Solde reporté	**,00 $**
Mois courant	Services mensuels (28 janv. au 27 févr.)	166,84 $
	Pages jaunes	72,00
	Communications facturées	44,01
	TPS 100356987	19,80
	TVQ 1001237654	22,70
	Total du mois courant	**325,35 $**

Montant total dû **325,35 $**

S'il vous plaît, veuillez acquitter ce compte dès réception. Pour éviter tout supplément de retard, veuillez vous assurer que votre paiement nous parviendra au plus tard le 28 février 2007.

✂ -

BILL

Numéro de compte	Date de facturation	Montant dû	Montant versé
819-323-1017	2007 01 28	325,35 $	

Traité par :
Référence :

Boutique Image-inne inc.
44, 1re Avenue
Eastman (Québec)
G2F 0T0

Dollar Gagné,
Courtier en placements
655, 1re Avenue
Eastman (Québec)
G2F 0T0

Le placement, c'est notre intérêt !

COURTIER EN PLACEMENTS
Dollar Gagné

RELEVÉ DE TRANSACTION

Client :

Boutique Image-inne inc.
44, 1re Avenue
Eastman (Québec)
G2F 0T0

Numéro du client :	D-33451
Période du relevé :	Janvier 2007
Depuis :	Décembre 2006
Conseiller :	Dollar Gagné

Solde disponible au début :	2 148,38 $
Solde disponible à la fin :	2 207,71 $

1er janvier :	solde d'ouverture	+2 148,38 $
25 janvier :	dividendes reçus de Nokin Canada ltée	+62,50
31 janvier :	honoraires de gestion, frais minimum	–10,00
	TPS (7%)	–0,70
	TVQ (7,5%)	–0,80
Intérêts quotidiens gagnés		+8,33

Traité par :
Référence :

Solde disponible **2 207,71 $**

Merci de me faire confiance !

Entretien ménager Lenet
500, 2e Avenue
Eastman (Québec)
G2F 0T0

Client :

Boutique Image-inne inc.
44, 1re Avenue
Eastman (Québec)
G2F 0T0

Numéro du client :	323 1017
Numéro de la facture :	2212
Date de la facture :	1er février 2007
Date de livraison :	Décembre 2006, janvier 2007
Conditions :	Net 30 jours
Nom du vendeur :	Tommy Labrosse

Entretien ménager des mois de décembre 2006 et janvier 2007 :

200 $ par mois × 2 mois	400,00 $
Total	400,00
Taxe fédérale (TPS 7 %)	28,00
Taxe provinciale (TVQ 7,5 %)	32,10
Total	460,10 $

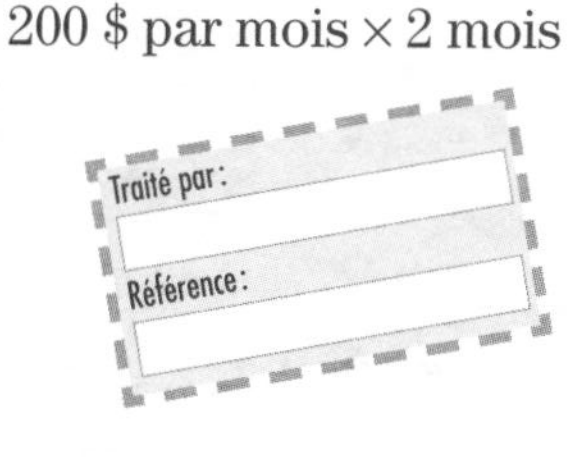

Merci de nous faire confiance !

Kadok ltée

Kadok ltée
3535, rue de l'Église
Eastman (Québec)
G2F 0T0

C'est Kadok ou rien…

Payé le :
Chèque nº :

Vendu à :
Boutique Image-inne inc.
44, 1re Avenue
Eastman (Québec)
G2F 0T0

Conditions :
2/10 net 30 jours « FDM »

Nº client	Nº facture	Vendeur	Expédié	Date
323 1017	2007-82198	Adolpho Thomassin	02/02/07	01/02/07

Produit	Quantité	Prix unitaire	Montant
na-kad-n2	5	175,00	875,00 $
f-kad-25	36	2,45	88,20
f-kad-64	60	1,95	117,00
f-kad-100	84	1,45	121,80
f-kad-200	84	1,45	121,80
f-kad-400	84	1,95	163,80
dn-kad	12	5,95	71,40

Traité par :
Référence :

Transport	Total	TPS : 7 %	TVQ : 7,5 %	Sous-total	1 559,00
22,00	1 581,00	110,67	126,88	GRAND TOTAL	1 818,55 $

Merci de nous faire confiance !

VINCENT LECOMPTE, CA

VOTRE CONSEILLER EN AFFAIRES

Date : 5 février 2007

Vincent Lecompte, CA
Place des affaires, bureau 123
Magog (Québec)
D1X 0I0

À : client nº Ph-34-887

Boutique Image-inne inc.
44, 1re Avenue
Eastman (Québec)
G2F 0T0

Facture nº : 12 865

HONORAIRES POUR VÉRIFICATION COMPTABLE ET IMPÔTS CORPORATIFS	2 800,00 $

EXERCICE FINANCIER SE TERMINANT LE 31 DÉCEMBRE 2006

DATE DE LIVRAISON : JANVIER ET FÉVRIER 2007

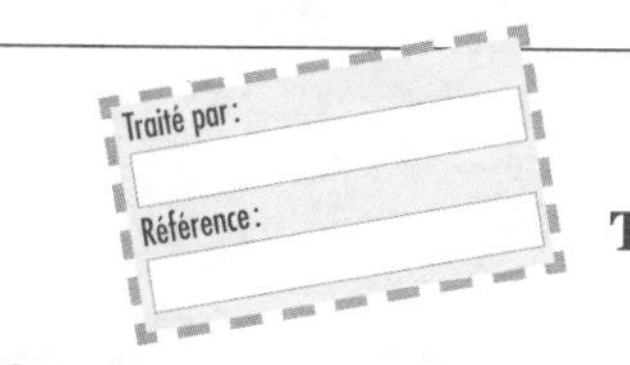

Sous-total	2 800,00
Taxe fédérale (TPS 7 %)	196,00
Taxe provinciale (TVQ 7,5 %)	224,70
Total	3 220,70 $

Conditions : Net 30 jours

Merci !

Nº de facture 302 mm 926

Nº de client 323 1017

2117, 4e Avenue, Gatineau (Québec) P0Z 1C1

Client : Boutique Image-inne inc.
44, 1re Avenue
Eastman (Québec)
G2F 0T0

Date : 6 février 2007
Vendeur : F. Cokin
Date de livraison : 8 février 2007
Conditions : 1/15 net 30 jours « FDM »

Produit	Quantité	Prix unitaire	Prix total
na-nok-x2	5	250,00	1 250,00 $
na-nok-x4	5	295,00	1 475,00

Traité par:
Référence:

Payé le:
Chèque nº:

Merci de nous faire confiance !

Sous-total	2 725,00
Transport	45,00
Total	2 770,00
Taxe fédérale (TPS 7 %)	193,90
Taxe provinciale (TVQ 7,5 %)	222,29
Grand total	3 186,19 $

Tomran Ltd.
11442, Queen Street
Vancouver, British Columbia
T0M 1S0

The universal one… and only!

Customer:

Boutique Image-inne inc.
44, 1re Avenue
Eastman (Québec)
G2F 0T0

Customer number: CQ 4450
Invoice number: 56775
Invoice date: February 7, 2007
Salesman: Tom Ranwick
Shipping date: February 12, 2007
Conditions: 2/10 net 30 days « EOM »

PRODUCT	UNIT	PRICE	TOTAL PRICE
o-tom-18	3	295.00	$ 885.00
o-tom-35	3	90.00	270.00
o-tom-50	3	80.00	240.00
o-tom-135	3	120.00	360.00
b-tom-nok	20	25.00	500.00

Traité par :
Référence :

Payé le :
Chèque nº :

Sub-total	2,255.00
Shipping & handling	45.00
Total	2,300.00
Federal taxes (GST 7 %)	161.00
Provincial taxes (PST 8 %)	0.00
Invoice total	**$ 2,461.00**

Thanks to make business with us!

La Banque d'Eastman

AVIS DE DÉBIT À VOTRE COMPTE — Nº de compte : 19591117

Veuillez noter que nous avons débité votre compte de la somme indiquée pour la raison suivante :

chèque de Marc Cinq-Mars déposé le 11 février 2007, retourné car chèque postdaté du 5 mars 2007

Traité par :
Référence :

Chèque retourné	114,97
Frais	5,00
Total	119,97

Approuvé par : *B.C.*

Par : *Nicole Soucy Francoeur* Préposé(e)

Date : *15 février 2007*

Marc Cinq-Mars
503, rue Dufour, Eastman (Québec)
G2F 0T0 Tél. : (819) 323-0305

Folio 200703305
Chèque nº : 305

5 mars 20 *07*

Payez à l'ordre de *Boutique Image-inne inc.* $ *114,97*

Cent-quatorze *97* / 100 dollars

Banque d'Eastman
123, rue Commerciale
Eastman (Québec) G2F 0T0
Tél. : (819) 654-3210

Marc Cinq-Mars

Par : *Marc Cinq-Mars*

Pour : *Flash et film photo*

0000725 19830··702 20··0703··05

BOUTIQUE IMAGE-INNE INC.

BILL

Numéro de compte : **819 323 1017** (702)
Date de facturation : **28 février 2007**

9323 1017 70201 005

Sommaire du compte

Payé le :
Chèque nº :

Mois précédent	Solde antérieur	325,35 $
	Paiement reçu — Merci	325,35
	Rectifications	,00
	Solde reporté	**,00 $**
Mois courant	Services mensuels (28 févr. au 27 mars)	166,84 $
	Pages jaunes	72,00
	Communications facturées	39,16
	TPS 100356987	19,46
	TVQ 1001237654	22,31
	Total du mois courant	**319,77 $**

Montant total dû **319,77 $**

S'il vous plaît, veuillez acquitter ce compte dès réception. Pour éviter tout supplément de retard, veuillez vous assurer que votre paiement nous parviendra au plus tard le 28 mars 2007.

✂--------------------------------

BILL

Numéro de compte	Date de facturation	Montant dû	Montant versé
819-323-1017	2007 02 28	319,77 $	

Traité par :
Référence :

Boutique Image-inne inc.
44, 1re Avenue
Eastman (Québec)
G2F 0T0

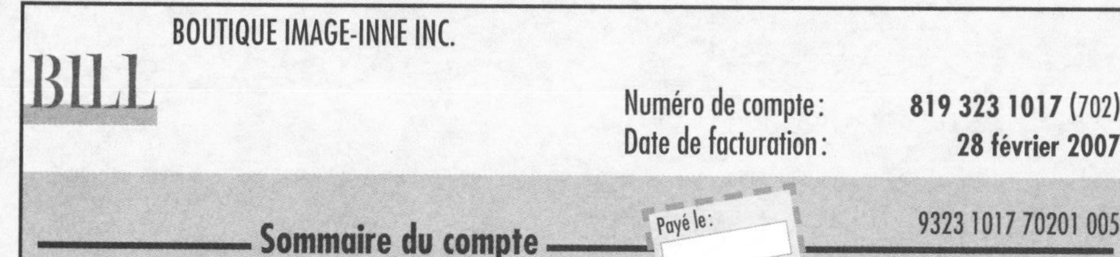

Kadok of America Ltd.
78652, Nixon Blvd.
Chicago, Ill.
05636

Payé le :
Chèque nº :

It's Kadok or nothing !

Customer :
Boutique Image-inne inc.
44, 1re Avenue
Eastman (Québec)
G2F 0T0

Conditions :
Net 30 days

Customer Nº	Invoice Nº	Salesman	Shipping date	Invoice date
CAN-323-1017	2007-4564465	Julia Mitchell	Feb. 20, 2007	Feb. 28, 2007

Product	Unit	Price	Total price
Slide Table Kadok DP-EL	1	35.00	$ 35.00

Traité par :
Référence :

Facture libellée en dollars américains

Shipping & handling	Total	Sales taxes	Sub-total	35.00
15.00	50.00	0.00	INVOICE TOTAL	$ 50.00

Thanks to make business with us!

Lemonde & Ledoux
7075, rue Principale
Granby (Québec)
Z0O 1C1

Client :
Boutique Image-inne inc.
44, 1re Avenue,
Eastman (Québec)
G2F 0T0

Date : 28 février 2007
Nº de client : 323-1017

Facture nº : 6534	**Date de livraison :** 20 février 2007
Vendeur : Ledoux, Anne	**Conditions :** Net 30 jours

Colis de Kadok of America Ltd. Nº I-C 665487	
Taxe fédérale (7%) sur valeur estimative de 47,00 $CAN	3,29 $
Taxe provinciale (7,5%) sur valeur estimative de 50,29 $CAN	3,77
Nos honoraires	12,00
Total	**19,06 $**

Traité par :
Référence :

Merci de nous faire confiance !

Dollar Gagné,
Courtier en placements
655, 1re Avenue
Eastman (Québec)
G2F 0T0

RELEVÉ DE TRANSACTION

Client :
Boutique Image-inne inc.
44, 1re Avenue
Eastman (Québec)
G2F 0T0

Numéro du client :	D-33451
Période du relevé :	Février 2007
Depuis :	Décembre 2006
Conseiller :	Dollar Gagné

Solde disponible au début :	2 207,71 $
Solde disponible à la fin :	275,88 $

1er février :	solde d'ouverture	+2 207,71 $
20 février :	vente de 100 actions ordinaires de Nokin Canada ltée au coût de 11,05 $ chacune	+1 105,00
28 février :	achat de 133 actions ordinaires de Vavatir Canada Ltd. au coût de 22,50 $ chacune	–2 992,50
28 février :	honoraires de gestion	–48,00
	TPS (7%)	–3,36
	TVQ (7,5%)	–3,85
Intérêts quotidiens gagnés		+10,88
	Solde disponible	**275,88 $**

Traité par :
Référence :

Merci de me faire confiance !

La prévention, j'y travaille !

CSST
www.csst.qc.ca

Sommaire de compte

Mme Annie Magellan
Boutique Image-Inne inc.
44 1re Avenue
Eastman (Québec) G2F 0T0

Date du sommaire	Montant dû	Échéance
22 février 2007	780,00	20 mars 2007
Versement minimum 260,00	Montant versé	Page 1 de 2

Numéro d'entreprise du Québec (NEQ) : 1005547193

Solde de votre compte au 22 février 2007	0,00 $
Avis de cotisation	780,00
Nouveau solde	780,00

Suite au verso

Intérêts
Si vous payez votre compte par versements, **des intérêts actuellement de 6 %**, capitalisés quotidiennement, s'ajouteront au solde pendant toute la période d'échelonnement des paiements. Le taux d'intérêt appliqué par la CSST est révisé chaque trimestre.

Prélèvement automatique
Comme votre compte a été modifié, les prochains prélèvements ont été calculés comme suit :
- Prélèvement du 20 mars 2007 : 260,00 $
- Prélèvements du 20 avril et 20 mai 2007 : 260,00 $

Les séries de chèques pour le paiement de la cotisation ne sont plus acceptées. La CSST vous invite à payer votre cotisation par prélèvement automatique, par la poste ou dans une institution financière. Prévoir 5 jours pour le traitement.

Vous êtes déjà inscrit au service de Prélèvement automatique. Vous n'avez pas à renouveler votre inscription.

En optant pour le paiement par versements, vous autorisez la CSST à affecter à l'acquittement d'une dette, échue ou non, tout montant qu'elle pourrait être tenue de vous rembourser, jusqu'à concurrence du montant de la dette. Cette autorisation vaut pour toute la période d'échelonnement prévue dans ce document.

Québec

Détacher la partie ci-dessous et la joindre à votre paiement. Conserver cette partie.

Ne pas agrafer

La prévention, j'y travaille !

CSST
www.csst.qc.ca

Bordereau de paiement

Numéro d'entreprise du Québec (NEQ) : 1005547193

Date du sommaire	Montant dû	Échéance
22 février 2007	780,00	20 mars 2007
Versement minimum 260,00	Montant versé	Numéro de référence 0034 1172 8

Mme Annie Magellan
Boutique Image-Inne inc.
44 1re Avenue
Eastman (Québec) G2F 0T0

Vous êtes inscrit au service de Prélèvement automatique. Veuillez ne pas effectuer de paiement.

078000

La prévention, j'y travaille !
CSST
www.csst.qc.ca

Avis de cotisation

Numéro de l'avis	Date de cet avis	Échéance
AVC12901486	22 février	20 mars 2007
		Page 2 de 2

Numéro d'entreprise du Québec (NEQ) : 1005547193

Unité : 78212 **Dossier :** 762 11 612 Boutique Image-inne inc.

2006	Cotisation précédente (salaires prévus)	(70 000 $/100) × 1,20 $		– 840,00 $
	Cotisation (salaires versés)	(66 122,80 $/100) × 1,20 $		793,47
			Sous-total	– 46,53 $
2007	Cotisation (salaires prévus)	(69 000 $/100) × 1,20 $		– 828,00 $
			Sous-total	781,47 $
2006	Intérêts sur écart de cotisation			– 1,47 $
			Total	**780,00 $**

Québec

COMMISSION DE LA SANTÉ ET DE LA SÉCURITÉ DU TRAVAIL DU QUÉBEC
C.P. 11493 SUCC. CENTRE-VILLE
MONTRÉAL (QUÉBEC) H3C 5S1

Timbre de la banque

COMPTE DE DÉPENSES De : **Annie Magellan**

Boutique Image-inne inc.
44, 1re Avenue
Eastman (Québec)
G2F 0T0
Tél. : (819) 323-1017

Pour la période du *1er janvier 2007* au *28 février 2007*

Date	Nom	Explication	Prix	TPS	TVP	Total
Janv.						
12	Poste Canada	Courrier recommandé	12,50	0,88	1,00	14,38
18	Quincaillerie Eastman	Ampoules et crochets pour magasin	9,96	0,70	0,80	11,46
Févr.						
8	Pub chez Karine	Dîner avec Mme Ranger	29,97	1,88	2,15	34,00
31	Kilomètres	408 km à 40 ¢/km	141,88	9,93	11,39	163,20
Approuvé par : *Denis Magellan*			194,31	13,39	15,34	223,04
Signé par : *Annie Magellan*						

Traité par :
Référence :

COMPTE DE DÉPENSES De : **Denis Magellan**

Boutique Image-inne inc.
44, 1re Avenue
Eastman (Québec)
G2F 0T0
Tél. : (819) 323-1017

Pour la période du *1er janvier 2007* au *28 février 2007*

Date	Nom	Explication	Prix	TPS	TVP	Total
Janv.						
22	Kadok ltée	Fournitures de laboratoire	212,65	14,89	17,07	244,61
Fév.						
18	Costco	Fournitures de bureau	148,95	10,43	11,95	171,33
22	Association des élèves de génie	Commandite Nancy P.	50,00			50,00
31	Kilomètres	128 km à 40 ¢/km	44,51	3,12	3,57	51,20
Approuvé par : *Annie Magellan*			456,11	28,44	32,59	517,14
Signé par : *Denis Magellan*						

Traité par :
Référence :

NOVEMBRE 2006

Dimanche	Lundi	Mardi	Mercredi	Jeudi	Vendredi	Samedi
			1	2	3	4
5	6	7	8	9	10	11
12	13	14	15	16	17	18
19	20	21	22	23	24	25
26	27	28	29	30		

DÉCEMBRE 2006

Dimanche	Lundi	Mardi	Mercredi	Jeudi	Vendredi	Samedi
					1	2
3	4	5	6	7	8	9
10	11	12	13	14	15	16
17	18	19	20	21	22	23
24	25	26	27	28	29	30
31						

JANVIER 2007

Dimanche	Lundi	Mardi	Mercredi	Jeudi	Vendredi	Samedi
	1	2	3	4	5	6
7	8	9	10	11	12	13
14	15	16	17	18	19	20
21	22	23	24	25	26	27
28	29	30	31			

FÉVRIER 2007

Dimanche	Lundi	Mardi	Mercredi	Jeudi	Vendredi	Samedi
				1	2	3
4	5	6	7	8	9	10
11	12	13	14	15	16	17
18	19	20	21	22	23	24
25	26	27	28			

SYMBOLE	SIGNIFICATION
	Intervention pédagogique
	Document reçu
	Sortie d'argent
	Entrée d'argent
	Dépôt à la banque
	Renseignements importants sur le document
	Exemption de taxes
	Facture émise
	Note de crédit
	Mortier
	Paie des employés
	Écritures de régularisation à effectuer